ニュートン超《ちょう》図《ず》解《かい》新《しん》書《しょ》

最《さい》強《きょう》に面《おも》白《しろ》い

哲《てつ》学《がく》

はじめに

哲学《てつがく》とは，いったいどんな学問《がくもん》なのでしょうか。英語《えいご》で哲学《てつがく》を意味《いみ》する「philosophy《フィロソフィー》」は，古代《こだい》ギリシャ語《ご》の「philosophia《フィロソフィア》」が語源《ごげん》になったといわれています。「philo《フィロ》」は愛《あい》する，「sophia《ソフィア》」は知《ち》という意味《いみ》をもちます。つまり哲学《てつがく》とは，「知《ち》を愛《あい》する」学問《がくもん》のことなのです。

哲学《てつがく》がはじまったのは，今《いま》から2500年《ねん》以《い》上《じょう》前《まえ》の，古《こ》代《だい》ギリシャの時代《じだい》とされています。現代《げんだい》の私《わたし》たちが「科《か》学《がく》」とよぶ学問《がくもん》も，当時《とうじ》は哲学《てつがく》に含《ふく》まれていました。哲《てつ》学《がく》と科学《かがく》が分《わ》かれたのは，17～19世紀《せいき》ごろだといわれています。つまりガリレオやニュートンも，みな哲学者《てつがくしゃ》だったのです。

本書《ほんしょ》は，古代《こだい》から現代《げんだい》にいたるまでの哲学者《てつがくしゃ》たちの思《し》考《こう》の歴史《れきし》を，科学《かがく》とのつながりに注目《ちゅうもく》しながらたどる1冊《さつ》です。“最強《さいきょう》に”面白《おもしろ》い話題《わだい》をたくさんそろえましたので，どなたでも楽《たの》しく読《よ》み進《すす》めることができます。どうぞお楽《たの》しみください！

ニュートン超《ちょう》図《ず》解《かい》新書《しんしょ》

最強《さいきょう》に面白《おもしろ》い 哲学《てつがく》

イントロダクション

第《だい》1章《しょう》 科学《かがく》の起源《きげん》は，古代《こだい》ギリシャ哲学《てつがく》

哲学

第《だい》2章《しょう》
科学《かがく》を育《そだ》てた！ 中世《ちゅうせい》と近世《きんせい》の哲学《てつがく》

第《だい》3章《しょう》
科学《かがく》と発展《はってん》した！ 近代《きんだい》の哲学《てつがく》

第《だい》4章《しょう》
科学《かがく》と歩《あゆ》む！　現代《げんだい》の哲学《てつがく》

【本書《ほんしょ》の主《おも》な登場人物《とうじょうじんぶつ》】

アリストテレス
（紀元前《きげんぜん》384〜紀元前《きげんぜん》322）
古代《こだい》ギリシャの哲学者《てつがくしゃ》。学問《がくもん》を「理論的学問《りろんてきがくもん》」「実践的学問《じっせんてきがくもん》」「制作《せいさく》的学問《てきがくもん》」の3種類《しゅるい》に分《わ》け，これらのすべてについて著書《ちょしょ》を残《のこ》したことから，「万学《ばんがく》の祖《そ》」とよばれる。

女子中学生《じょしちゅうがくせい》

パンダ

イントロダクション

哲学《てつがく》とは，どのような学問《がくもん》なのでしょうか。イントロダクションでは，古代《こだい》ギリシャの時代《じだい》から哲学《てつがく》で考《かんが》えられてきた四《よっ》つのテーマを紹介《しょうかい》します。また，現代《げんだい》において，科学《かがく》で解明《かいめい》する問題《もんだい》と，哲学《てつがく》でしか考《かんが》えられない問題《もんだい》について紹介《しょうかい》します。

1 哲学《てつがく》で考《かんが》えられてきた大問題《だいもんだい》が，四《よっ》つある

科学《かがく》の原型《げんけい》が，哲学《てつがく》の中《なか》に含《ふく》まれていた

哲学《てつがく》は，今《いま》から2500年以上前《ねんいじょうまえ》の，古代《こだい》ギリシャの時代《じだい》にはじまったとされています。当時《とうじ》の哲学《てつがく》は，物事《ものごと》のなりたちやしくみを考《かんが》えるものであり，現代《げんだい》の科学《かがく》の原型《げんけい》も，その中《なか》に含《ふく》まれていました。

哲学《てつがく》と科学《かがく》が分《わ》かれたのは，17世紀《せいき》から19世紀《せいき》にかけてのことだと考《かんが》えられています。そのため，科学《かがく》と分《わ》かれる前《まえ》の哲学《てつがく》と現代《げんだい》の哲学《てつがく》とでは，性格《せいかく》が大《おお》きくことなります。

1 哲学《てつがく》の四《よっ》つのテーマ

哲学《てつがく》がこれまで考《かんが》えてきたテーマは，大《おお》きく四《よっ》つに分《わ》けることができます。形而上学《けいじじょうがく》，認識論《にんしきろん》，倫理学《りんりがく》，論理学《ろんりがく》です。

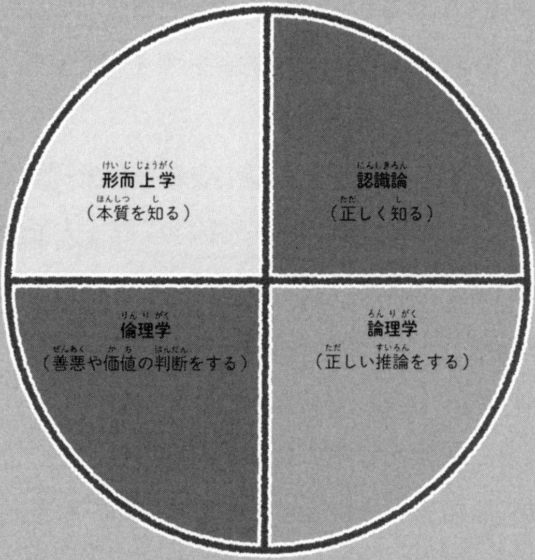

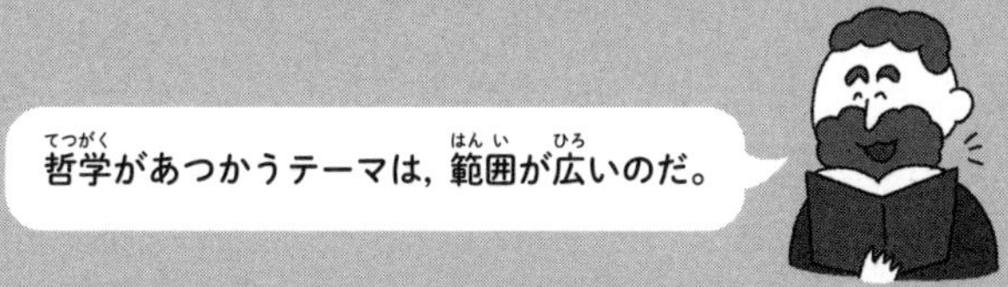

さまざまな問題《もんだい》を，1人《ひとり》で考《かんが》えていた

哲学《てつがく》で考《かんが》えられてきたテーマを便宜的《べんぎてき》に分《わ》けると，四《よっ》つに分《わ》けられます。本質《ほんしつ》を知《し》る「形而上学《けいじじょうがく》」，正《ただ》しく知《し》る「認識論《にんしきろん》」，善悪《ぜんあく》や価値《かち》の判断《はんだん》をする「倫理学《りんりがく》」，正《ただ》しい推論《すいろん》をする「論理学《ろんりがく》」です。

古代《こだい》ギリシャ時代《じだい》の哲学者《てつがくしゃ》は，四《よっ》つのテーマの分類《ぶんるい》をこえて，さまざまな問題《もんだい》について1人《ひとり》で考《かんが》えていました。その後《ご》，時代《じだい》が進《すす》むにしたがって，四《よっ》つのテーマのうちの特定《とくてい》の一《ひと》つか二《ふた》つのテーマに集中《しゅうちゅう》して研究《けんきゅう》することが，一般的《いっぱんてき》になりました。20世紀以降《せいきいこう》になると，自然哲学《しぜんてつがく》，心《こころ》の哲学《てつがく》，言語哲学《げんごてつがく》，政治哲学《せいじてつがく》などの個別《こべつ》の対象《たいしょう》についての研究《けんきゅう》が，分野《ぶんや》として独立《どくりつ》し，細分化《さいぶんか》されていきました。

2 現在《げんざい》は，哲学《てつがく》で考《かんが》える問題《もんだい》と，科学《かがく》で考《かんが》える問題《もんだい》がある

実験《じっけん》で明《あき》らかにできる問題《もんだい》は，科学《かがく》の問題《もんだい》

現在《げんざい》，観察《かんさつ》や実験《じっけん》で明《あき》らかにできる問題《もんだい》は，哲《てつ》学《がく》で考《かんが》えられる問題《もんだい》ではなくなりました（22～23ページのフローチャート）。

たとえば，世界《せかい》はどうなっているのかを考《かんが》えたいとします。そのうち，実験《じっけん》で明《あき》らかにできる自然《しぜん》の姿《すがた》は，すべて「自然科学《しぜんかがく》」の問題《もんだい》です。それから，たとえ目《め》に見《み》えない心《こころ》の問題《もんだい》であっても，実験《じっけん》で明《あき》らかにできるものは，「心理学《しんりがく》」や「脳神経科学《のうしんけいかがく》」などの科学《かがく》の問題《もんだい》です。

倫理《りんり》や価値《かち》は，科学《かがく》では解明《かいめい》できない

一方《いっぽう》で，自然《しぜん》の根本的《こんぽんてき》な姿《すがた》や基本的《きほんてき》な世界《せかい》の本質《ほんしつ》については，観察《かんさつ》や実験《じっけん》の対象《たいしょう》にはなりません。また，心《こころ》の問題《もんだい》も，心《こころ》と体《からだ》がどういう関《かん》係《けい》にあるのかということについては，まだ明《あき》らかにされていない部分《ぶぶん》が多《おお》くあります。さらに，われわれはどう生《い》きるべきかという倫理《りんり》や価値《かち》についても，科学《かがく》では解明《かいめい》できません。

こうした観察《かんさつ》や実験《じっけん》で明《あき》らかにできない問題《もんだい》は，実《じつ》は哲学《てつがく》でしか考《かんが》えられない問題《もんだい》なのです。

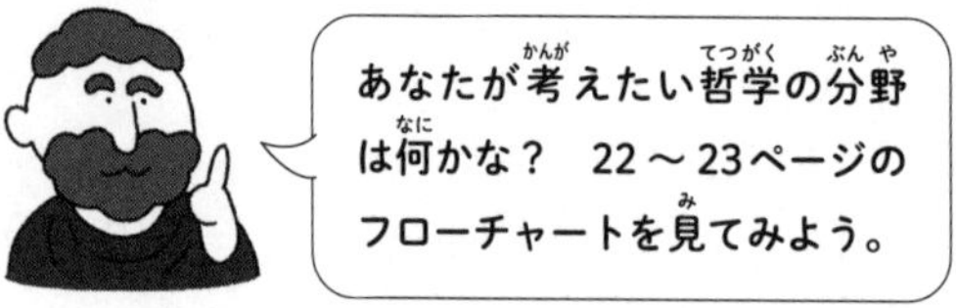

memo

2 哲学《てつがく》のフローチャート

自分《じぶん》の考《かんが》えたいことをたどっていくと，それがどの分野《ぶんや》の問題《もんだい》なのかがわかります。自然哲学《しぜんてつがく》，形而上学《けいじじょうがく》，認識論《にんしきろん》，心《こころ》の哲《てつ》学《がく》，論理学《ろんりがく》，倫理学《りんりがく》と価値論《かちろん》は，哲学《てつがく》の分野《ぶんや》です。

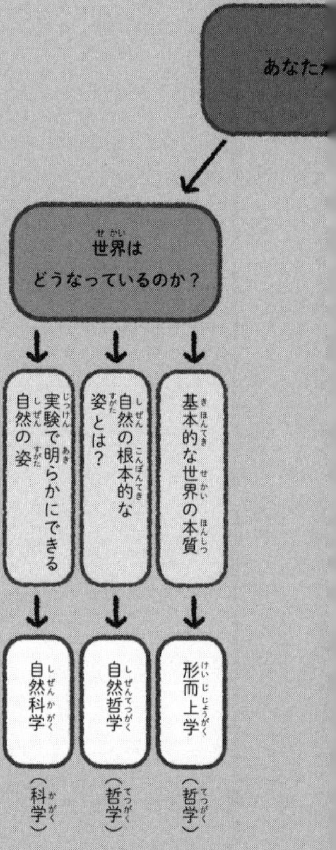

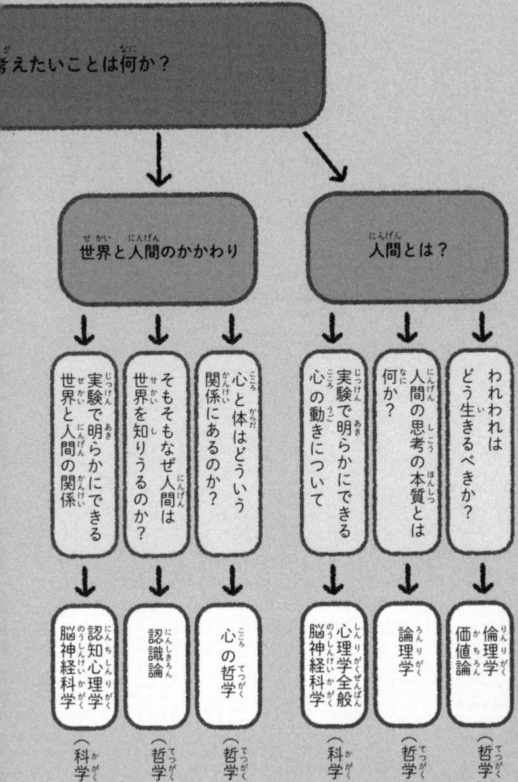
えたいことは何《なに》か？
世界《せかい》と人間《にんげん》のかかわり
人間《にんげん》とは？
実験《じっけん》で明《あき》らかにできる
世界《せかい》と人間《にんげん》の関係《かんけい》
そもそもなぜ人間《にんげん》は
世界《せかい》を知《し》りうるのか？
心《こころ》と体《からだ》はどういう
関係《かんけい》にあるのか？
実験《じっけん》で明《あき》らかにできる
心《こころ》の動《うご》きについて
人間《にんげん》の思考《しこう》の本質《ほんしつ》とは
何《なに》か？
われわれは
どう生《い》きるべきか？
認知心理学《にんちしんりがく》
脳神経科学《のうしんけいかがく》
（科学《かがく》）
認識論《にんしきろん》
（哲学《てつがく》）
心《こころ》の哲学《てつがく》
（哲学《てつがく》）
心理学全般《しんりがくぜんぱん》
脳神経科学《のうしんけいかがく》
（科学《かがく》）
論理学《ろんりがく》
（哲学《てつがく》）
倫理学《りんりがく》
価値論《かちろん》
（哲学《てつがく》）

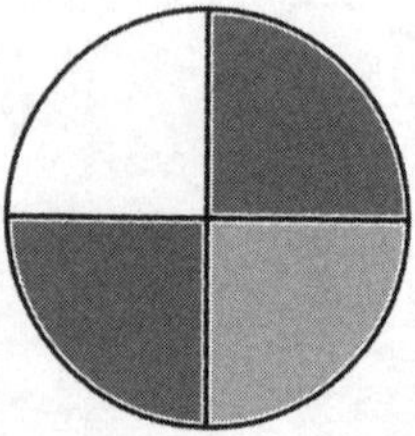

第《だい》1章《しょう》

科学《かがく》の起源《きげん》は，古代《こだい》ギリシャ哲学《てつがく》

哲学《てつがく》は，古代《こだい》ギリシャ時代《じだい》にはじまったとされています。当時《とうじ》，科学《かがく》は哲学《てつがく》に含《ふく》まれていました。第《だい》1章《しょう》では，古代《こだい》ギリシャの哲学《てつがく》にみられる，科学《かがく》の起源《きげん》を紹介《しょうかい》しましょう。

— 紀元前《きげんぜん》6世紀《せいき》ごろ：哲学《てつがく》のはじまり —

1 ゼウスのせいにしても，満足《まんぞく》はできない！

神話《しんわ》にもとづく説明《せつめい》がされていた

哲学《てつがく》がはじまったとされているのは，今《いま》から2500年《ねん》以上《いじょう》もさかのぼった紀元前《きげんぜん》6世紀《せいき》ごろ，古代《こだい》ギリシャの地《ち》においてでした。

当時《とうじ》，さまざまな自然現象《しぜんげんしょう》に対《たい》して，神話《しんわ》などの伝承《でんしょう》にもとづく超自然的《ちょうしぜんてき》な説明《せつめい》がされていました。たとえば，雷《かみなり》が落《お》ちるのは全能《ぜんのう》の神《かみ》ゼウスのせい，人《ひと》が眠《ねむ》るのは眠《ねむ》りの神《かみ》ヒュプノスのしわざ，などの説明《せつめい》です。このような神話的《しんわてき》な説《せつ》明《めい》を，「ミュトス」といいます。

1 疑問《ぎもん》から生《う》まれた哲学《てつがく》

古代《こだい》ギリシャ神話《しんわ》の全能《ぜんのう》の神《かみ》ゼウスが，雷《かみなり》を落《お》としているイメージをえがきました。自然現象《しぜんげんしょう》を見《み》て「なぜだろう？」と疑問《ぎもん》に思《おも》ったときに，こういった神話的説明《しんわてきせつめい》（ミュトス）ではなく，理性的説明《りせいてきせつめい》（ロゴス）を求《もと》めたことが，哲学《てつがく》のはじまりでした。

自然現象《しぜんげんしょう》を，理性的《りせいてき》に説明《せつめい》しようとした

ところが，紀元前《きげんぜん》6世紀《せいき》のはじめごろから，ミュトスに満足《まんぞく》できない人《ひと》たちがあらわれはじめました。彼《かれ》らは，自然現象《しぜんげんしょう》をより理性的《りせいてき》（合理的《ごうりてき》）に説明《せつめい》しようと試《こころ》みました。このような理性的《りせいてき》な説明《せつめい》のことを「ロゴス」といいます。自然現象《しぜんげんしょう》を見《み》て「なぜだろう？」と問《と》い，ミュトスよりもロゴスを重視《じゅうし》する人々《ひとびと》。そんな人々《ひとびと》があらわれたことで，知《ち》を愛《あい》する営《いとな》みである哲学《てつがく》がはじまったのです。

17世紀《せいき》から19世紀《せいき》にかけて，哲学《てつがく》の一部《いちぶ》が「科学《かがく》」とよばれるようになります。科学《かがく》は意外《いがい》にも若《わか》く，その起源《きげん》をたどっていくと，この古代《こだい》ギリシャ人《じん》たちのロゴスにたどり着《つ》くのです。

— 紀元前《きげんぜん》6世紀《せいき》ごろ：最古《さいこ》の哲学者《てつがくしゃ》 —

2 タレス「観察《かんさつ》したところ，万物《ばんぶつ》の根源《こんげん》は水《みず》だ」

重要《じゅうよう》なのは，結論《けつろん》に至《いた》った過程《かてい》

「最古《さいこ》の哲学者《てつがくしゃ》」とされる人物《じんぶつ》がいます。紀元《きげん》前《ぜん》6世紀前半《せいきぜんはん》に活躍《かつやく》し，ギリシャ七賢人《しちけんじん》に数《かぞ》えられるタレス（紀元前《きげんぜん》625ごろ～紀元前《きげんぜん》545ごろ）です。タレスは，「万物《ばんぶつ》の根源《こんげん》は水《みず》である」ととなえました。現代《げんだい》の科学知識《かがくちしき》からすると，「万物《ばんぶつ》の根源《こんげん》は水《みず》」という考《かんが》えは正《ただ》しくはありません。しかし，ここで重要《じゅうよう》なのは，タレスがどのようにしてその結論《けつろん》に至《いた》ったのかということです。

タレスは皆既日食《かいきにっしょく》の出現《しゅつげん》を予言《よげん》したり，「タレスの定理《ていり》」という幾何学《きかがく》の定《てい》理《り》を証明《しょうめい》したりと，さまざまな活躍《かつやく》をしたそうだパンダ。

現代《げんだい》では，
科学《かがく》の基本《きほん》とされている手法《しゅほう》

タレスの考《かんが》えの根拠《こんきょ》の一《ひと》つは，「観察《かんさつ》」でした。「人間《にんげん》も動植物《どうしょくぶつ》も，生命《せいめい》は水《みず》がないと生《い》きていけない」「あらゆる物体《ぶったい》は気体《きたい》・液体《えきたい》・固体《こたい》でできていて，水《みず》はそのすべてに姿《すがた》を変《か》えることができる」「大地《だいち》は大量《たいりょう》の水《みず》（海《うみ》）に浮《う》かび，支《ささ》えられている」。タレスは万物《ばんぶつ》の根底《こんてい》にある普遍的《ふへんてき》で本《ほん》質的《しつてき》なものを求《もと》め，それが水《みず》であると考《かんが》えたのです。

このような「観察《かんさつ》にもとづく推論《すいろん》」は，現代《げんだい》では科学《かがく》の基本《きほん》とされている手法《しゅほう》です。この科学的《かがくてき》な態度《たいど》こそが，タレスが「最古《さいこ》の哲学者《てつがくしゃ》」とされる理由《りゆう》なのです。

2 世界《せかい》を観察《かんさつ》したタレス

最古《さいこ》の哲学者《てつがくしゃ》タレスが観察《かんさつ》した世界《せかい》のイメージをえがきました。タレスは，観察《かんさつ》にもとづいて，「万《ばん》物《ぶつ》の根源《こんげん》は水《みず》（古代《こだい》ギリシャ語《ご》でヒュドール）である」ととなえました。

タレスは，人《ひと》や動物《どうぶつ》，植物《しょくぶつ》が，生《い》きるのに水《みず》が必要《ひつよう》だということを，観察《かんさつ》して気《き》づいたのだ。

— 紀元前《きげんぜん》6世紀《せいき》後半《こうはん》：ピタゴラス教団《きょうだん》 —

3 ピタゴラス「万物《ばんぶつ》を支配《しはい》するのは，数《かず》の調和《ちょうわ》だ」

学問《がくもん》と宗教《しゅうきょう》が一体《いったい》となった結社《けっしゃ》がつくられた

数学《すうがく》は，古代《こだい》ギリシャ時代《じだい》に発展《はってん》をとげました。しかし当時《とうじ》は，数学《すうがく》と哲学《てつがく》の区別《くべつ》はなく，哲《てつ》学者《がくしゃ》が数学《すうがく》に取《と》り組《く》んでいました。「ピタゴラスの定理《ていり》（三平方《さんへいほう》の定理《ていり》）」で有名《ゆうめい》なピタゴラス（紀《き》元前《げんぜん》6世紀《せいき》後半《こうはん》に活躍《かつやく》）も，そんな哲学者《てつがくしゃ》の1人《ひとり》です。

若《わか》いころから博学《はくがく》，勉強家《べんきょうか》と評判《ひょうばん》だったピタゴラスのまわりには，弟子《でし》たちが集《あつ》まりました。そして，学問《がくもん》と宗教《しゅうきょう》が一体《いったい》となった結社《けっしゃ》である「ピタゴラス学派《がくは》」がつくられました。

3 ピタゴラス学派《がくは》のシンボル

ピタゴラス学派《がくは》の神聖《しんせい》なシンボルとされた「テトラクテュス」をえがきました。テトラクテュスは，「1＋2＋3＋4」の10個《こ》の点《てん》でできています。ハーモニーの基本《きほん》となる数《かず》が整然《せいぜん》と並《なら》んでいるため，神《しん》聖《せい》なものとされました。

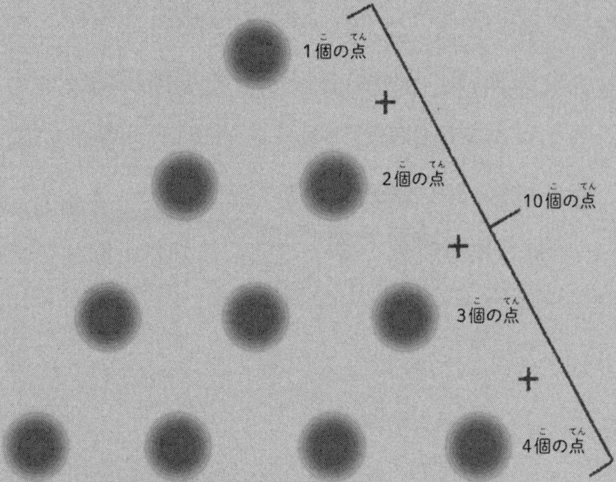

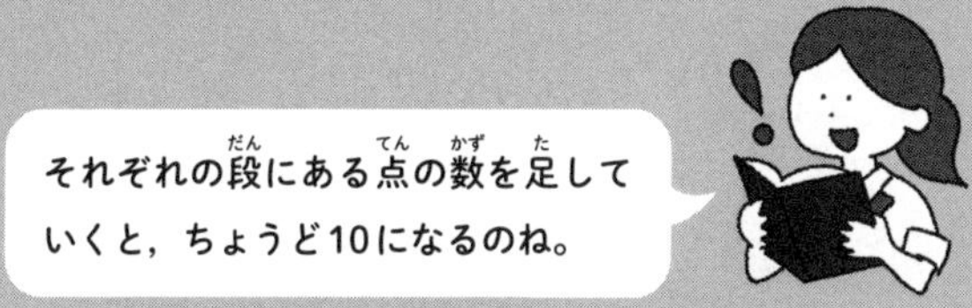

世界《せかい》は単純《たんじゅん》な比《ひ》でできていると考《かんが》えた

あるときピタゴラスは，弦《げん》の長《なが》さと音階《おんかい》に関《かん》する法則《ほうそく》を発見《はっけん》しました。

弦《げん》の長《なが》さの比《ひ》は，低《ひく》いドと高《たか》いドで2：1，低《ひく》いドとソで3：2，低《ひく》いドとファで4：3です。**ピタゴラスは，ハーモニーを奏《かな》でる弦《げん》が単純《たんじゅん》な比《ひ》をもつことに感動《かんどう》し，世界《せかい》は単純《たんじゅん》な比《ひ》（美《うつく》しい関係《かんけい》）でできていると考《かんが》えました。**

「あらゆる現象《げんしょう》の裏《うら》にひそむ法則《ほうそく》は，数学《すうがく》を使《つか》って記述《きじゅつ》できる」という考《かんが》えは，現代《げんだい》科学《かがく》でも一《いっ》般的《ぱんてき》です。ピタゴラスの考《かんが》えは，こういった考《かんが》えの原点《げんてん》だったのです。

ピタゴラス学派《がくは》には「そら豆《まめ》を食《た》べてはならない」など，さまざまなタブー（禁忌《きんき》）があったそうだ。

— 紀元前《きげんぜん》5世紀後半《せいきこうはん》：原子論《げんしろん》 —

4 レウキッポス「万物《ばんぶつ》は，原子《げんし》でできている」

哲学者《てつがくしゃ》が，原子論《げんしろん》を生《う》みだした

「近代的《きんだいてき》な科学知識《かがくちしき》」といえる原子《げんし》の存在《そんざい》をはじめてとなえたのは，なんと古代《こだい》ギリシャ時代《じだい》の哲学者《てつがくしゃ》でした。

「万物《ばんぶつ》は原子《げんし》（アトム）でできている」という考《かんが》えは「原子論《げんしろん》」とよばれます。古代《こだい》ギリシャの原《げん》子論《しろん》は，哲学者《てつがくしゃ》レウキッポス（紀元前《きげんぜん》5世紀後半《せいきこうはん》に活躍《かつやく》）がとなえ，哲学者《てつがくしゃ》デモクリトス（紀元前《きげんぜん》460ごろ～紀元前《きげんぜん》360ごろ）が完成《かんせい》へとみちびいたとされています。2400年前《ねんまえ》の顕微鏡《けんびきょう》もない時《じ》代《だい》に，哲学者《てつがくしゃ》が原子論《げんしろん》を生《う》みだしていたのです。

空《から》っぽの空間《くうかん》の存在《そんざい》を認《みと》めた

　原子論《げんしろん》といっても，彼《かれ》らの原子論《げんしろん》は，現代《げんだい》の原《げん》子論《しろん》とは多少《たしょう》ことなります。たとえば，「それ以《い》上分割《じょうぶんかつ》できない」という性質《せいしつ》をもっていれば，原《げん》子《し》はどんな形状《けいじょう》でもよいとされていました。

　また，彼《かれ》らのいう原子《げんし》は消滅《しょうめつ》しません。原子《げんし》が消滅《しょうめつ》しないので，世界《せかい》の変化《へんか》は原子《げんし》が移動《いどう》することによって生《しょう》じます。そのため，空《から》っぽの空間《くうかん》（空虚《くうきょ》）を想定《そうてい》する必要《ひつよう》がありました。空虚《くうきょ》，つまり無《む》の存在《そんざい》を認《みと》めたことは，彼《かれ》らの原子論《げんしろん》の最大《さいだい》の特徴《とくちょう》といえるのです。

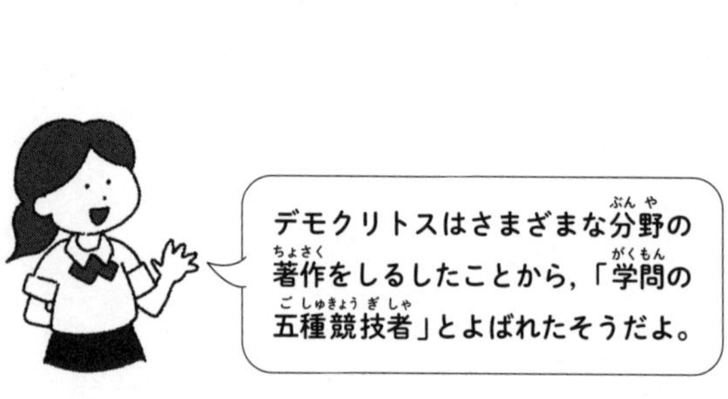

4 原子論《げんしろん》のイメージ

レウキッポスとデモクリトスがとなえた原子論《げんしろん》のイメージをえがきました。彼《かれ》らは，さまざまな形状《けいじょう》の原子《げんし》が集《あつ》まって，あらゆる物体《ぶったい》がつくられていると考《かんが》えました。

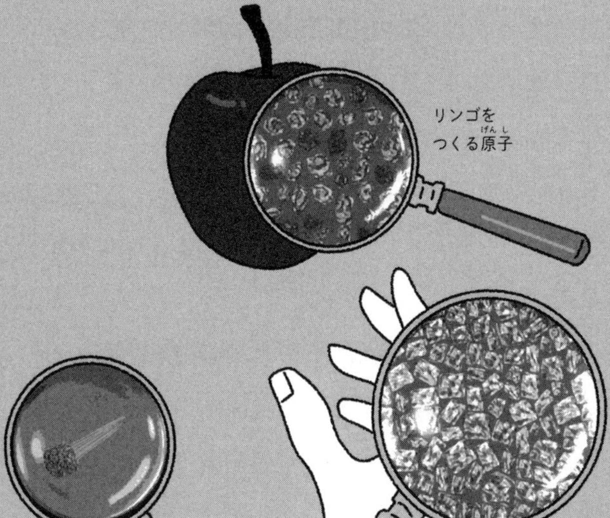

— 紀元前《きげんぜん》5～4世紀《せいき》：万学《ばんがく》の祖《そ》 —

5 真《しん》の知《ち》を，３人《にん》の偉大《いだい》な哲学者《てつがくしゃ》が考《かんが》えた

だれでも己《おのれ》の無知《むち》をまず知《し》ること

哲学者《てつがくしゃ》ソクラテス（紀元前《きげんぜん》469～紀元前《きげんぜん》399）は，知者《ちしゃ》と評判《ひょうばん》の人々《ひとびと》を訪《たず》ね歩《ある》いて対話《たいわ》を行《おこな》いました。しかし「真《しん》の知《ち》」をもつ人物《じんぶつ》など，ひとりもいませんでした。そして最《もっと》も賢《かしこ》い人間《にんげん》とは，自分《じぶん》が何《なに》も知《し》らないことを知《し》っている人間《にんげん》なのだと気《き》づきます。

ソクラテスは，「だれでも己《おのれ》の無知《むち》をまず知《し》ること（無知《むち》の知《ち》）によってはじめて，真《しん》の知《ち》を求《もと》めようとする態度《たいど》（哲学《てつがく》）が生《う》まれうる」と説《と》きました。

観察結果《かんさつけっか》を論理的《ろんりてき》に分析《ぶんせき》・検討《けんとう》する

　ソクラテスの弟子《でし》プラトン（紀元前《きげんぜん》427～紀元《きげん》前《ぜん》347）は，あらゆる物《もの》や概念《がいねん》には，その理想型《りそうけい》である「イデア」が天上《てんじょう》の世界《せかい》に存在《そんざい》し，この世《せ》界《かい》はイデアをモデルにつくられた模造《もぞう》だととなえました。プラトンは，イデアを探究《たんきゅう》することで「真《しん》の知《ち》」が得《え》られると考《かんが》えました。

　一方《いっぽう》，プラトンの学園《がくえん》で学《まな》んだアリストテレス（紀元前《きげんぜん》384～紀元前《きげんぜん》322）は，「真《しん》の知《ち》」を得《え》るために自然《しぜん》を徹底的《てっていてき》に観察《かんさつ》し，観察結果《かんさつけっか》を論理的《ろんりてき》に分析《ぶんせき》・検討《けんとう》する方法《ほうほう》を採用《さいよう》しました。また，先《せん》人《じん》の文献《ぶんけん》を調査《ちょうさ》することも，重視《じゅうし》しました。アリストテレスのこの考《かんが》えは，まさに現代科学《げんだいかがく》の基盤《きばん》となるものでした。

5 アリストテレスの学問分類《がくもんぶんるい》

アリストテレスは，学問《がくもん》を「理論的学問《りろんてきがくもん》」「実践的学問《じっせんてきがくもん》」「制作的学問《せいさくてきがくもん》」の3種類《しゅるい》に分《わ》けました。そしてそれらをまとめて「哲学《てつがく》（知《ち》の探究《たんきゅう》）」とよび，「論理学《ろんりがく》」は哲学《てつがく》には含《ふく》めず，哲学《てつがく》のための道具《どうぐ》だとしました。この学問分類《がくもんぶんるい》のすべてについて著書《ちょしょ》を残《のこ》したことから，アリストテレスは「万学《ばんがく》の祖《そ》」とよばれます。

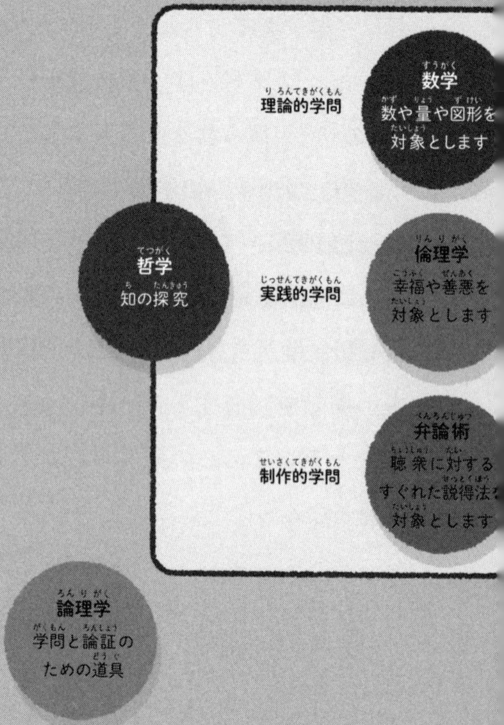

アリストテレスの学問分類《がくもんぶんるい》のうち，自然学《しぜんがく》が，現代《げんだい》の科学《かがく》へとつながっていったパンダ。

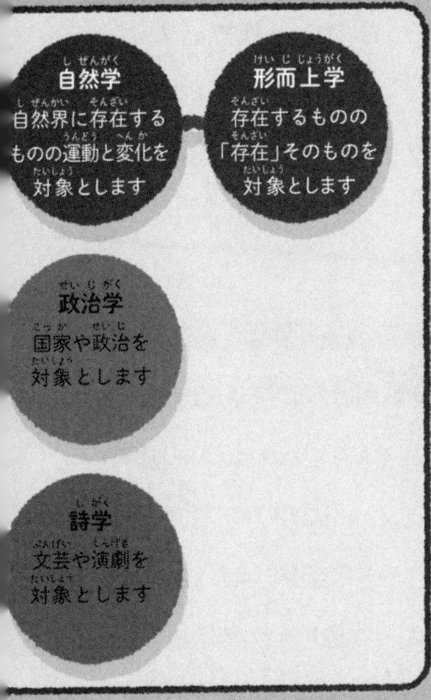

哲学《てつがく》の「哲《てつ》」

哲学《てつがく》は，英語《えいご》では「philosophy《フィロソフィー》」といいます。英語《えいご》の「philosophy《フィロソフィー》」は，古代《こだい》ギリシャ語《ご》の「philosophia《フィロソフィア》」が語源《ごげん》になったといわれています。「philo《フィロ》」は愛《あい》する，「sophia《ソフィア》」は知《ち》という意味《いみ》をもちます。**つまり「philosophy《フィロソフィー》」とは，「知《ち》を愛《あい》すること」を意味《いみ》します。**

「philosophy《フィロソフィー》」の日本語訳《にほんごやく》である「哲学《てつがく》」という言《こと》葉《ば》は，明治時代《めいじじだい》の思想家《しそうか》の西周《にしあまね》（1829～1897）がつくった造語《ぞうご》です。西《にし》が参考《さんこう》にしたのは，中国《ちゅうごく》の儒学者《じゅがくしゃ》である周敦頤《しゅうとんい》（1017～1073）の著書《ちょしょ》『通《つう》書《しょ》』に出《で》てくる，「希賢学《きけんがく》」や「希聖学《きせいがく》」という言葉《ことば》だといわれています。西《にし》は，当初《とうしょ》「希哲学《きてつがく》」としていたものを，のちに希《き》を省略《しょうりゃく》して，「哲学《てつがく》」としました。

西《にし》が採用《さいよう》した「哲《てつ》」という漢字《かんじ》には，道理《どうり》に明《あか》るく知恵《ちえ》があるなどの意味《いみ》があります。複雑《ふくざつ》にからまった物事《ものごと》をバラバラにする「折《おり》」と「口《くち》」からなり，口《くち》から発《はっ》する言葉《ことば》で複雑《ふくざつ》な道理《どうり》を明《あき》らかにするという意味《いみ》をあらわしています。

「無知《むち》」をあばいたソクラテス

世界三大悪妻《せかいさんだいあくさい》の1人《ひとり》

第《だい》2章《しょう》

科学《かがく》を育《そだ》てた！
中世《ちゅうせい》と近世《きんせい》の哲学《てつがく》

哲学《てつがく》と科学《かがく》は，17世紀《せいき》から19世紀《せいき》にかけて，分《わ》かれたと考《かんが》えられています。第《だい》2章《しょう》では，科学《かがく》を育《そだ》てた，中世《ちゅうせい》と近世《きんせい》の哲学《てつがく》をみていきましょう。

1 オッカム「明確《めいかく》に知覚《ちかく》できないものは，認《みと》めない」

キリスト教《きょう》と軋轢《あつれき》を生《う》んでしまった

アリストテレスの哲学《てつがく》は，12世紀《せいき》ごろからヨーロッパの人々《ひとびと》に広《ひろ》く受《う》け入《い》れられました。しかし，キリスト教《きょう》と軋轢《あつれき》を生《う》んでしまいます。たとえば，アリストテレスの哲学《てつがく》では「世界《せかい》にはじまりはない」と考《かんが》えられていたのに対《たい》して，キリスト教《きょう》では「世界《せかい》は神《かみ》によって創造《そうぞう》された」と説《と》いていました。神学者《しんがくしゃ》のトマス・アクィナス（1225ごろ～1274）は，神《かみ》について考《かんが》える「神学《しんがく》」こそが最上位《さいじょうい》の学問《がくもん》であり，哲学《てつがく》はその下《した》に位置《いち》するととなえました。

1 神学《しんがく》と哲学《てつがく》を分離《ぶんり》

神学《しんがく》の領域《りょういき》（明確《めいかく》に知覚《ちかく》できないもの）を，哲学《てつがく》の領域《りょういき》（明確《めいかく》に知覚《ちかく》できるもの）から，かみそりで切《き》りはなすイメージをえがきました。人間《にんげん》の概念《がいねん》は明確《めいかく》に知覚《ちかく》できないものに含《ふく》まれ，AさんやBさんといった個別《こべつ》の人物《じんぶつ》は明確《めいかく》に知覚《ちかく》できるものに含《ふく》まれます。

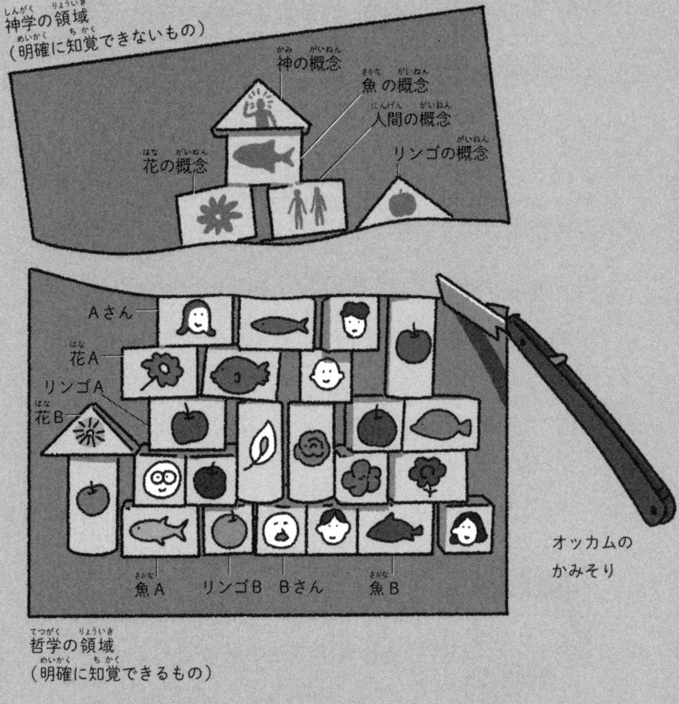

哲学《てつがく》と神学《しんがく》が，切《き》りはなされた

これに対《たい》して，神学者《しんがくしゃ》で哲学者《てつがくしゃ》のオッカム（1285～1347）は，神学《しんがく》と哲学《てつがく》の分離《ぶんり》をとなえました。**オッカムは「明確《めいかく》に知覚《ちかく》できない（十分《じゅうぶん》な根拠《こんきょ》をもたない）存在《そんざい》や概念《がいねん》を認《みと》めるべきではない」「必要以上《ひつよういじょう》の仮定《かてい》はするべきではない」と主張《しゅちょう》しました。**

この「オッカムのかみそり」とよばれる考《かんが》えによって，観察《かんさつ》（経験《けいけん》）を重視《じゅうし》する哲学《てつがく》と，神《かみ》などの概念《がいねん》を用《もち》いる神学《しんがく》が切《き》りはなされ，哲学《てつがく》が発展《はってん》するきっかけになったのです。オッカムのかみそりの考《かんが》え方《かた》は，現代科学《げんだいかがく》の指針《ししん》の一《ひと》つになっています。

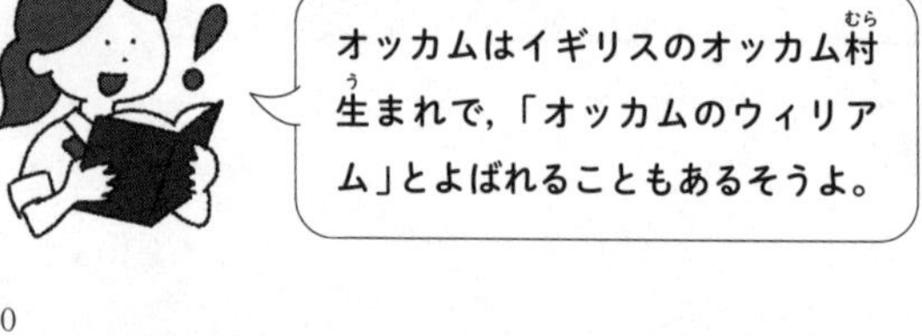

― 16世紀《せいき》：近代《きんだい》科学《かがく》の概念《がいねん》 ―

2 ベーコン「観察《かんさつ》の際《さい》には，思《おも》いこみは捨《す》てるべき」

太陽《たいよう》のまわりを，地球《ちきゅう》がまわっている

14世紀《せいき》に神学《しんがく》と切《き》りはなされた哲学《てつがく》は，その後《ご》の中世後期《ちゅうせいこうき》および近世《きんせい》において，いちじるしい発展《はってん》をとげました。

たとえば，ポーランド出身《しゅっしん》の天文学者《てんもんがくしゃ》のニコラウス・コペルニクス（1473～1543）は，惑星《わくせい》の奇妙《きみょう》なふるまいを自然《しぜん》に説明《せつめい》する仮説《かせつ》として，地球《ちきゅう》も惑星《わくせい》の一《ひと》つだという「地動説《ちどうせつ》」をとなえました。そして，イタリアのガリレオ・ガリレイ（1564～1642）やドイツのヨハネス・ケプラー（1571～1630），イギリスのアイザック・ニュートン（1642～1727）といった自然哲学者《しぜんてつがくしゃ》たちが，地動説《ちどうせつ》を改良《かいりょう》し，天動説《てんどうせつ》に対《たい》する優位《ゆうい》をゆるぎないものにしていきました。

観察《かんさつ》と実験《じっけん》によって，正《ただ》しい知識《ちしき》を得《え》る

この哲学《てつがく》の発展期《はってんき》に，「近代科学《きんだいかがく》の祖《そ》」とよばれる哲学者《てつがくしゃ》があらわれます。「正《ただ》しい知識《ちしき》を得《え》るための方法《ほうほう》」を提案《ていあん》した，イギリスのフランシス・ベーコン（1561～1626）です。

ベーコンは，自然現象《しぜんげんしょう》を観察《かんさつ》する際《さい》には，思《おも》いこみ（イドラ）を捨《す》て去《さ》るべきだと主張《しゅちょう》しました。また，実験《じっけん》の重要性《じゅうようせい》を説《と》きました。ベーコンは，思《おも》いこみを排除《はいじょ》した観察《かんさつ》と実験《じっけん》によって正《ただ》しい知識《ちしき》を得《え》る方法《ほうほう》を，「帰納法《きのうほう》」とよびました。その慎重《しんちょう》な態度《たいど》が，科学《かがく》の誕生《たんじょう》を強《つよ》くあとおししたのです。

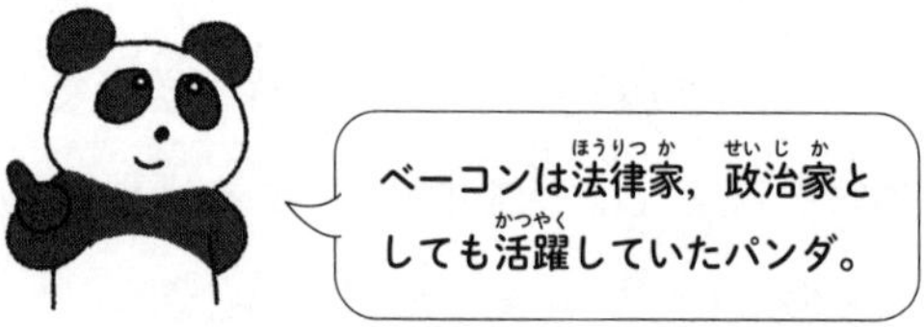

2 天動説《てんどうせつ》から地動説《ちどうせつ》へ

「天動説《てんどうせつ》」から「地動説《ちどうせつ》」へと，世界観《せかいかん》が転換《てんかん》したようすをえがきました。天動説《てんどうせつ》は，地球《ちきゅう》が宇宙《うちゅう》の中心《ちゅうしん》にあり，地球《ちきゅう》のまわりを太陽《たいよう》がまわっているとする考《かんが》えです。一方《いっぽう》，地動説《ちどうせつ》は，太陽《たいよう》のまわりを地球《ちきゅう》がまわっているとする考《かんが》えです。

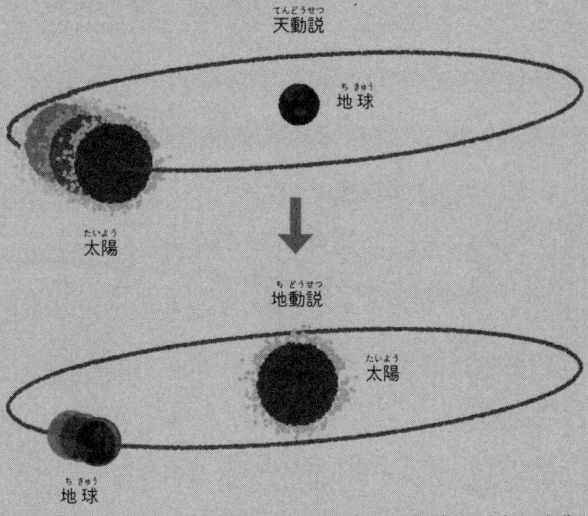

注《ちゅう》：本来《ほんらい》の天動説《てんどうせつ》は，宇宙全体《うちゅうぜんたい》の中心《ちゅうしん》に巨大《きょだい》な地球《ちきゅう》があるというイメージです。ここでは簡略化《かんりゃくか》しています。

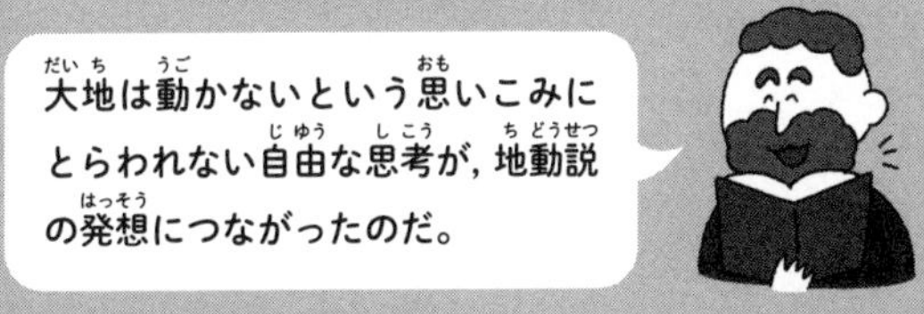

— 17世紀《せいき》：自意識《じいしき》 —

3 デカルト「自分《じぶん》の意識《いしき》だけは，確《たし》かに存在《そんざい》する」

絶対《ぜったい》に正《ただ》しい「第一原理《だいいちげんり》」が必要《ひつよう》

17世紀《せいき》，フランスの哲学者《てつがくしゃ》のルネ・デカルト（1596～1650）は，「あらゆるものは存在《そんざい》しないのでは？」と疑《うたが》いました。その理由《りゆう》は，哲学者《てつがくしゃ》のベーコンが帰納法《きのうほう》をとなえた理由《りゆう》と同様《どうよう》に，「正《ただ》しい知識《ちしき》を得《え》るため」でした。

前提《ぜんてい》となる知識《ちしき》や経験《けいけん》がまちがっていたら，そこからみちびかれる知識《ちしき》もまた，まちがったものになってしまいます。そのためデカルトは，正《ただ》しい知識《ちしき》を得《え》るためには，まず絶対《ぜったい》に正《ただ》しい「第一原理《だいいちげんり》」をさがすことが必要《ひつよう》だと考《かんが》えたのです。

3 デカルトの疑《うたが》い

「私《わたし》」の存在《そんざい》だけは疑《うたが》えないとしたデカルトの考《かんが》えをえがきました。デカルトは，目《め》の前《まえ》の物体《ぶったい》も，自《じ》分自身《ぶんじしん》の肉体《にくたい》も，数学《すうがく》の計算結果《けいさんけっか》も，あらゆるものを疑《うたが》いました。

意識《いしき》の存在《そんざい》を前提《ぜんてい》とする哲学《てつがく》を生《う》みだした

デカルトは試行錯誤《しこうさくご》の結果《けっか》，「すべてを疑《うたが》っているこの意識《いしき》だけは確《たし》かに存在《そんざい》すること」に気《き》がつきます。そして「意識《いしき》が存在《そんざい》する」という命題《めいだい》が第一原理《だいいちげんり》だと考《かんが》え，ここから正《ただ》しい知識《ちしき》を積《つ》みあげ，哲学《てつがく》を一《いち》から再構築《さいこうちく》しようとしました。

デカルトの疑《うたが》いは，意識《いしき》の存在《そんざい》を前提《ぜんてい》とする哲学《てつがく》を生《う》みました。私《わたし》たち人間《にんげん》は，考《かんが》える「意《い》識《しき》」と機械的物体《きかいてきぶったい》としての「身体《しんたい》」でできていると考《かんが》えたのです。この考《かんが》え方《かた》を，「心身二元論《しんしんにげんろん》」といいます。

注《ちゅう》：現代《げんだい》の科学《かがく》では，意識《いしき》は脳《のう》でつくられるものであり，身体《しんたい》から独立《どくりつ》に存《そん》在《ざい》するものではないという考《かんが》え方《かた》（心身一元論《しんしんいちげんろん》）が一般的《いっぱんてき》です。

memo

デカルトの決闘《けっとう》

近代哲学《きんだいてつがく》の父《ちち》と評《ひょう》されるデカルトの青春時代《せいしゅんじだい》のエピソードを紹介《しょうかい》します。ある日《ひ》，デカルトが好《こう》意《い》を寄《よ》せている女性《じょせい》とパリの街《まち》を歩《ある》いていると，突《とつ》然恋敵《ぜんこいがたき》があらわれ，決闘《けっとう》を申《もう》し入《い》れてきました。決闘《けっとう》となれば，傷《きず》を負《お》わされるだけでなく，場合《ばあい》によっては命《いのち》を奪《うば》われることもありました。しかしデカルトは，その場《ば》で決闘《けっとう》を受《う》け入《い》れました。

勝負《しょうぶ》がはじまると，デカルトは，一瞬《いっしゅん》で相手《あいて》の剣《けん》をたたき落《お》としたといいます。デカルトは大学卒《だいがくそつ》業《ぎょう》後《ご》，志願《しがん》してオランダの軍隊《ぐんたい》に入《はい》っていたのです。三十年戦争《さんじゅうねんせんそう》にも参加《さんか》しており，剣技《けんぎ》は相当《そうとう》なものでした。

決闘《けっとう》に勝利《しょうり》したデカルトは，「私《わたし》がいま命《いのち》をかけたあの女性《じょせい》に，君《きみ》は命《いのち》を助《たす》けてもらったのだから，彼女《かのじょ》に礼《れい》をいうがよい」と相手《あいて》を許《ゆる》し，剣《けん》を返《かえ》したといいます。晴《は》れて勝利《しょうり》を勝《か》ちとったデカルトでしたけれど，なぜかこの女性《じょせい》への恋心《こいごころ》も断《た》ち切《き》ってしまったそうです。

— 17世紀《せいき》：物理学《ぶつりがく》と決定論《けっていろん》 —

4 未来《みらい》は決《き》まっている，という考《かんが》えが生《う》まれた

物体《ぶったい》は，数学的《すうがくてき》に記述《きじゅつ》できる

　デカルトはあらゆる存在《そんざい》を疑《うたが》ったのち，「意識《いしき》が存在《そんざい》する」という命題《めいだい》を第一原理《だいいちげんり》にして，哲学《てつがく》を再構築《さいこうちく》しました。そして「物体《ぶったい》は存在《そんざい》する」という結論《けつろん》に達《たっ》しました。ここでいう「物体《ぶったい》」とは，大《おお》きさと形《かたち》だけをもつ，幾何学的《きかがくてき》な存在《そんざい》のことです。

　実《じつ》はこの考《かんが》えは，「物体《ぶったい》は数学的《すうがくてき》に記述《きじゅつ》できるものだ」といいかえることができます。デカルトはこの考《かんが》えをもとにして，物体《ぶったい》の運動《うんどう》の法則《ほうそく》について研究《けんきゅう》しました。

4 サイコロの出目《でめ》は計算可能《けいさんかのう》

原理的《げんりてき》には，投《な》げられたサイコロの出目《でめ》は，サイコロの運動《うんどう》の軌跡《きせき》を計算《けいさん》すれば，サイコロが静止《せいし》する前《まえ》に知《し》ることができます。同《おな》じように，あらゆる現象《げんしょう》の未《み》来《らい》は，計算可能《けいさんかのう》であるとすれば，知《し》ることができます。つまり，未来《みらい》はすでに決《き》まっていることになります。これが，「決定論《けっていろん》」とよばれる考《かんが》えです。

あらゆる現象《げんしょう》の未来《みらい》は，計算可能《けいさんかのう》

デカルトはさらに，「自然《しぜん》の事物《じぶつ》」をすべて機《き》械《かい》の部品《ぶひん》のようなものだととらえました。天候《てんこう》の変化《へんか》も，動物《どうぶつ》の動《うご》きも，私《わたし》たちの身体機能《しんたいきのう》も，すべて数学的《すうがくてき》に解《と》き明《あ》かせると考《かんが》えたのです。この考《かんが》えは「機械論的自然観《きかいろんてきしぜんかん》」とよばれています。

機械論的自然観《きかいろんてきしぜんかん》は，「万物《ばんぶつ》の運動《うんどう》をすべて数学《すうがく》的《てき》に記述《きじゅつ》できるとすれば，あらゆる現象《げんしょう》の未来《みらい》は計算可能《けいさんかのう》だ」とする考《かんが》えが生《う》まれる一《ひと》つのきっかけになりました。この考《かんが》えは，未来《みらい》はあらかじめ決《き》まっているという「決定論《けっていろん》」とよばれるものです。

注《ちゅう》：デカルト自身《じしん》は精神《せいしん》が物理法則《ぶつりほうそく》から自由《じゆう》だと考《かんが》え，反決定論《はんけっていろん》をとっていました。

— 17世紀《せいき》：経験論《けいけんろん》① —

5 ロック「経験《けいけん》を重《かさ》ねると，バナナを認識《にんしき》できる」

生《う》まれたばかりの赤《あか》ちゃんは，白紙《はくし》の状態《じょうたい》

私《わたし》たちがバナナを見《み》たときに，「バナナである」とわかるのはどうしてでしょうか。そんな疑《ぎ》問《もん》について考《かんが》えたのが，イギリスの哲学者《てつがくしゃ》のジョン・ロック（1632～1704）でした。

ロックはこの疑問《ぎもん》に対《たい》して，「生《う》まれたばかりの赤《あか》ちゃんは，白紙《はくし》の状態《じょうたい》であり，その後《ご》のさまざまな経験《けいけん》によって，知識《ちしき》が書《か》きこまれていく」と考《かんが》えました。つまり，「経験《けいけん》を重《かさ》ねることによって，バナナがバナナであることがわかるようになる」と考《かんが》えたのです。

観念《かんねん》は，心《こころ》の中《なか》にしか存在《そんざい》しない

ロックの考《かんが》えにもとづくと，人《ひと》はバナナから，「甘《あま》い」や「黄色《きいろ》い」，「細長《ほそなが》い」などの印象《いんしょう》（単純観念《たんじゅんかんねん》）を得《え》ます。この経験《けいけん》を重《かさ》ねていくと，頭《あたま》の中《なか》にバナナという「複合観念《ふくごうかんねん》」がつくられ，バナナをバナナと認識《にんしき》できるようになるというのです。

ロックは，こうしてできた観念《かんねん》，たとえば「黄色《きいろ》くて甘《あま》いバナナ」という観念《かんねん》は，心《こころ》の中《なか》にしか存在《そんざい》しないと考《かんが》えました。

生後《せいご》の経験《けいけん》を重視《じゅうし》するロックの哲学《てつがく》は「経験論《けいけんろん》」とよばれ，イギリスで発展《はってん》していきました。

5 テーブルとバナナの観念《かんねん》

ロックの哲学《てつがく》をもとに，私《わたし》たちがテーブルとバナナを認識《にんしき》するしくみをえがきました。色《いろ》やにおいは心《こころ》の中《なか》にあらわれる観念《かんねん》であり，外《そと》の世界《せかい》にある原型《げんけい》は大《おお》きさと形《かたち》しかもっていないと想定《そうてい》されます。

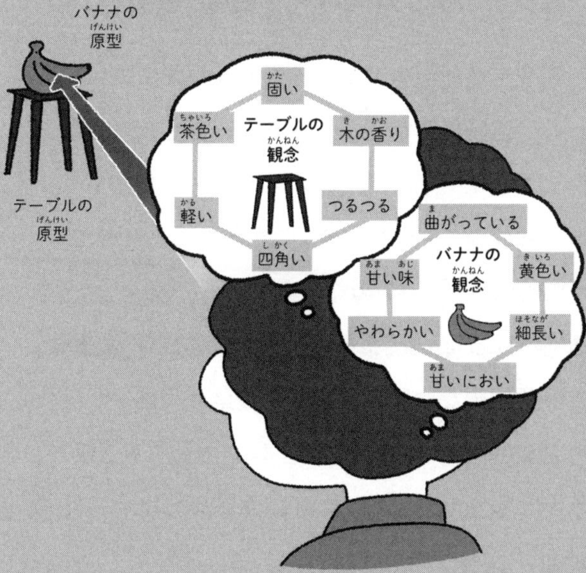

6 観察重視《かんさつじゅうし》の哲学者《てつがくしゃ》たちが，科学《かがく》を生《う》んだ！

「自然哲学《しぜんてつがく》」から，一部《いちぶ》が分離《ぶんり》した

現在《げんざい》では科学者《かがくしゃ》とよばれるガリレオもニュートンも，当時《とうじ》は哲学者《てつがくしゃ》だとされていました。自然法《しぜんほう》則《そく》の解明《かいめい》を目指《めざ》した彼《かれ》らの研究《けんきゅう》は，古代《こだい》ギリシャからつづく「自然哲学《しぜんてつがく》」に含《ふく》まれていたのです。

17世紀《せいき》ごろ，この自然哲学《しぜんてつがく》から一部《いちぶ》が分離《ぶんり》する形《かたち》で「science《サイエンス》（科学《かがく》）」が生《う》まれはじめます。自然哲学《しぜんてつがく》のなかでも，とくに観察《かんさつ》や実験《じっけん》といった客観的手法《きゃっかんてきしゅほう》を用《もち》いて知識《ちしき》を得《え》ようとする活動《かつどう》が，次第《しだい》にscience《サイエンス》とよばれるようになっていったのです。

19世紀中《せいきなか》ごろには，現在《げんざい》とほぼ同《おな》じ意味《いみ》で定着《ていちゃく》

science《サイエンス》という英単語自体《えいたんごじたい》は，14世紀《せいき》にはすでに存在《そんざい》していました。ただそのころは，「知識全般《ちしきぜんぱん》」を指《さ》す言葉《ことば》でした。それが18世紀《せいき》のはじめごろから，science《サイエンス》は「観察《かんさつ》や実験《じっけん》によってみちびかれた法則《ほうそく》や知識《ちしき》」という限定《げんてい》された意味《いみ》でも使《つか》われるようになります。

そして19世紀《せいき》の中《なか》ごろには，「客観性《きゃっかんせい》を重視《じゅうし》した研究《けんきゅう》およびその内容《ないよう》」という，現在《げんざい》の「科学《かがく》」とほぼ同《おな》じ意味《いみ》で定着《ていちゃく》していたとされています。

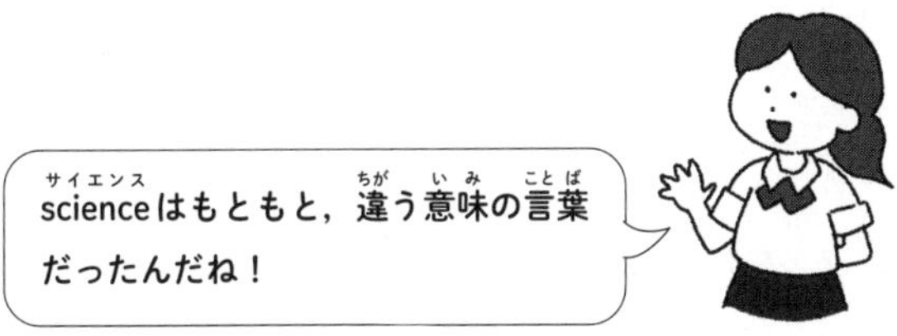

6 科学《かがく》を生《う》んだ主《おも》な哲学者《てつがくしゃ》

レオナルド・ダ・ヴィンチ
（1452～1519）
さまざまな分野《ぶんや》で業績《ぎょうせき》をのこす。

ガリレオ・ガリレイ
（1564～1642）
地動説《ちどうせつ》を支持《しじ》。

フランシス・ベーコン
（1561～1626）
近代《きんだい》科学《かがく》の祖《そ》。

ヨハネス・ケプラー
（1571～1630）
ケプラーの法則《ほうそく》を発見《はっけん》。

ニコラウス・コペルニクス
（1473～1543）
地動説《ちどうせつ》を提唱《ていしょう》。

ブレーズ・パスカル
（1623～1662）
確率論《かくりつろん》の先駆者《せんくしゃ》。

ルネ・デカルト
（1596～1650）
哲学《てつがく》を一《いち》から再構築《さいこうちく》。

アイザック・ニュートン
（1642～1727）
ニュートン力学《りきがく》を構築《こうちく》。

イマヌエル・カント
（1724～1804）
新《あら》たな認識論《にんしきろん》を提唱《ていしょう》。

ジョン・ロック
（1632～1704）
経験論《けいけんろん》を提唱《ていしょう》。

レオンハルト・オイラー
（1707～1783）
物理学《ぶつりがく》の数学化《すうがくか》を推進《すいしん》。

ウィリアム・ヒューウェル
（1794～1866）
科学哲学《かがくてつがく》の重要性《じゅうようせい》を説《と》く。

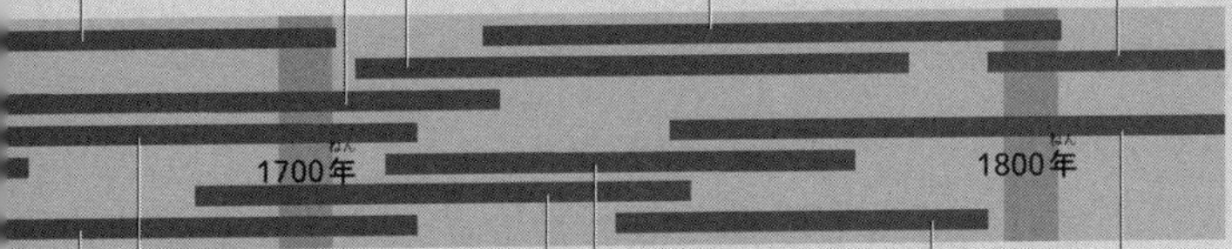

ゴットフリート・ライプニッツ
（1646～1716）
ニュートンと同時期《どうじき》に
微積分法《びせきぶんほう》を発見《はっけん》。

デイヴィッド・ヒューム
（1711～1776）
因果関係《いんがかんけい》を否定《ひてい》した
独自《どくじ》の経験論《けいけんろん》を提唱《ていしょう》。

ピエール・ラプラス
（1749～1827）
決定論的宇宙観《けっていろんてきうちゅうかん》を提唱《ていしょう》。

ニコラ・ド・マルブランシュ
（1638～1715）
機会原因論《きかいげんいんろん》を提唱《ていしょう》。

ジョージ・バークリ
（1685～1753）
非物質論《ひぶっしつろん》を提唱《ていしょう》。

アントワーヌ・ラボアジエ
（1743～1794）
定量的《ていりょうてき》な化学研究《かがくけんきゅう》の道《みち》を開《ひら》く。

— 17世紀《せいき》：機会原因論《きかいげんいんろん》 —

7 ある状態《じょうたい》をきっかけに，神《かみ》が力《ちから》をふるう

「実証主義《じっしょうしゅぎ》」の考《かんが》え方《かた》に影響《えいきょう》をあたえた

科学《かがく》の研究対象《けんきゅうたいしょう》は，どこまでにするべきなのか。その境界線《きょうかいせん》をめぐる考《かんが》え方《かた》の基礎《きそ》となったのが，「実証主義《じっしょうしゅぎ》」という考《かんが》え方《かた》です。実証主義《じっしょうしゅぎ》とは，科学《かがく》の対象《たいしょう》は観察《かんさつ》や実験《じっけん》で確《たし》かめられるものに限《かぎ》られるべきだというものです。

この実証主義《じっしょうしゅぎ》の考《かんが》え方《かた》に影響《えいきょう》をあたえたといわれているのが，フランスの修道士《しゅうどうし》のニコラ・ド・マルブランシュ（1638～1715）です。

7 ソルボンヌ大学《だいがく》

フランスのパリにある，ソルボンヌ大学《だいがく》をえがきました。マルブランシュは，ソルボンヌ大学《だいがく》で神学《しんがく》を学《まな》びました。しかし，論理《ろんり》をきわめていくスコラ哲《てつ》学《がく》に嫌気《いやけ》がさし，大学《だいがく》を中退《ちゅうたい》してしまいます。そしてその後《ご》，オラトリオ修道会《しゅうどうかい》に入《はい》りました。

神《かみ》が見《み》て，
神《かみ》が見《み》せてくれると考《かんが》える

マルブランシュは，あらゆる現象《げんしょう》は，ある状《じょう》態《たい》をきっかけ（機会《きかい》）に神《かみ》が力《ちから》をふるい，神《かみ》が結《けっ》果《か》をもたらしたものであると考《かんが》えました。これを，「機会原因論《きかいげんいんろん》」といいます。たとえば，リンゴを見《み》たときにリンゴのイメージが頭《あたま》の中《なか》にあらわれるという現象《げんしょう》は，リンゴによるものだとは考《かんが》えません。リンゴがあるという機会《きかい》を神《かみ》が見《み》て，神《かみ》がリンゴのイメージを見《み》せてくれると考《かんが》えるのです。

通常《つうじょう》の物理的《ぶつりてき》な説明《せつめい》に対《たい》してこういう対案《たいあん》が出《で》たことが，意外《いがい》なことに，目《め》に見《み》えない過程《かてい》について語《かた》るときには慎重《しんちょう》さが必要《ひつよう》だという実証《じっしょう》主義《しゅぎ》の発想《はっそう》にもつながりました。

memo

博士《はかせ》！教《おし》えて！！

考《かんが》える葦《あし》って何《なに》？

博士《はかせ》，「考《かんが》える葦《あし》」って何《なん》ですか？

ふむ。葦《あし》は，イネの仲間《なかま》の植物《しょくぶつ》じゃ。考《かんが》える葦《あし》というのは，フランスの哲学者《てつがくしゃ》で科学者《かがくしゃ》のブレーズ・パスカル（1623～1662）が，著書《ちょしょ》『パンセ』の中《なか》に書《か》いた有名《ゆうめい》な言葉《ことば》じゃ。パスカルは，「人間《にんげん》は，1本《ぽん》の葦《あし》である。自然《しぜん》の中《なか》で最《もっと》も弱《よわ》いものにすぎない。しかしそれは，考《かんが》える葦《あし》である」と書《か》いておる。

どういう意味《いみ》なんですか？

広大《こうだい》な宇宙《うちゅう》にくらべたら，人間《にんげん》は1本《ぽん》の葦《あし》のようにちっぽけな存在《そんざい》じゃ。でも考《かんが》えることができる。それは素晴《すば》らしく，偉大《いだい》なことなんだという意味《いみ》じゃ。

へぇ～。宇宙《うちゅう》かぁ。

天《てん》気《き》予《よ》報《ほう》にでてくるパスカルも，このパスカルじゃぞ。

そうだったんだ。なんか身近《みぢか》に感《かん》じる！

8 バークリ「とびらの向《む》こうのイスは，存在《そんざい》しない」

存在《そんざい》するとは，知覚《ちかく》されることである

「とびらの向《む》こうのイス」のように，直接《ちょくせつ》見《み》ることができず，さわれもしないような物《もの》は，ほんとうにそこにあるといえるでしょうか。

ロックの経験論《けいけんろん》を受《う》けついだアイルランドの哲《てつ》学者《がくしゃ》のジョージ・バークリ（1685～1753）は，「知覚《ちかく》できないものは存在《そんざい》しない」と考《かんが》え，知覚《ちかく》と独立《どくりつ》に存在《そんざい》するとされていた「物質存在《ぶっしつそんざい》」を認《みと》めませんでした。バークリの「存在《そんざい》するとは，知《ち》覚《かく》されることである」という言葉《ことば》に，その考《かんが》えが端的《たんてき》にあらわれています※。

※：しかし結局《けっきょく》は，人間《にんげん》によって知覚可能《ちかくかのう》なものであれば，人間《にんげん》によって知《ち》覚《かく》されていなくても神《かみ》によって知覚《ちかく》され，神《かみ》の観念《かんねん》（イデア）として存《そん》在《ざい》している，とバークリは考《かんが》えました。

物質存在《ぶっしつそんざい》を認《みと》めない「非物質論《ひぶっしつろん》」

ロックは，心《こころ》の外《そと》の世界《せかい》には大《おお》きさや形《かたち》だけをもつ原型《げんけい》（物質存在《ぶっしつそんざい》）があると仮定《かてい》していました。しかし，バークリは，物《もの》の大《おお》きさや形《かたち》でさえも，色《いろ》や匂《にお》いなどと同《おな》じように，五感《ごかん》が刺激《しげき》されて生《しょう》じる心《こころ》の中《なか》の観念《かんねん》だと考《かんが》えたのです。物質存在《ぶっしつそんざい》を認《みと》めないこのような立場《たちば》は，「非物質論《ひぶっしつろん》」とよばれています。

実《じつ》は，バークリに似《に》た考《かんが》え方《かた》が，現代《げんだい》の「量子論《りょうしろん》（量子力学《りょうしりきがく》）」の解釈《かいしゃく》にもあらわれます。それによると，電子《でんし》などのミクロな粒子《りゅうし》の位置《いち》などの性質《せいしつ》は，不確定《ふかくてい》であり，観測《かんそく》してはじめて確定《かくてい》します。

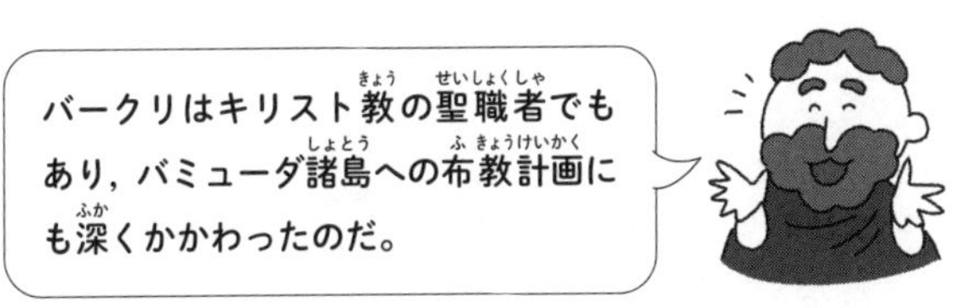

8 物質存在《ぶっしつそんざい》を認《みと》めない

ロックの考《かんが》えにもとづき，知覚《ちかく》されていない「とびらの向《む》こうのイス」や「背中側《せなかがわ》の世界《せかい》」が存在《そんざい》していないイメージをえがきました。ロックにはじまった経験論《けいけんろん》は，バークリを経《へ》て，経《けい》験《けん》できないものを疑《うたが》うという方向《ほうこう》に発展《はってん》していきました。

「背中側《せなかがわ》の世界《せかい》」は存在《そんざい》しない？

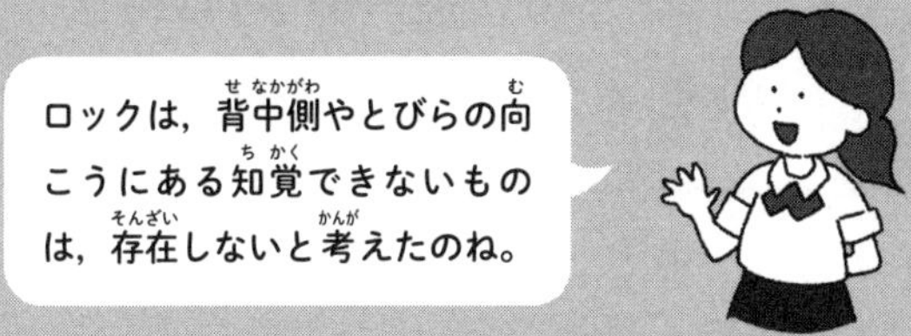

「とびらの向《む》こうのイス」は
存在《そんざい》しない？

— 18世紀《せいき》：経験論《けいけんろん》③ —

9 ヒューム「条件《じょうけん》が同《おな》じなら結果《けっか》も同《おな》じは，幻想《げんそう》」

球《たま》の衝突《しょうとつ》後《ご》の動《うご》きは，同《おな》じになるはず

経験論《けいけんろん》は，スコットランドの哲学者《てつがくしゃ》のデイヴィッド・ヒューム（1711～1776）によって，大《おお》きな転換《てんかん》をむかえます。

ビリヤードで，手球《てだま》（白《しろ》い球《たま》）をキュー（棒《ぼう》）で突《つ》き，静止《せいし》した1番《ばん》の球《たま》に当《あ》てることを考《かんが》えましょう。手球《てだま》と1番《ばん》の球《たま》の衝突《しょうとつ》後《ご》の動《うご》きは，手球《てだま》の位置《いち》やキューで突《つ》くいきおいなどの条件《じょうけん》が完全《かんぜん》に同《おな》じであれば，何度《なんど》やっても同《おな》じになるはずです。しかしヒュームは，その考《かんが》え方《かた》はほんとうに正《ただ》しいのだろうかと考《かんが》えました。

9 ヒュームの考《かんが》え方《かた》

ビリヤードを例《れい》に，ヒュームの考《かんが》えをえがきました。同《おな》じ球《たま》の配置《はいち》で，同《おな》じように手球《てだま》（白《しろ》い球《たま》）を突《つ》いたとき，たとえ1億回《おくかい》同《おな》じように1番《ばん》の球《たま》がはじかれたとしても，1億《おく》1回目《かいめ》に球《たま》がまったくちがう方向《ほうこう》に飛《と》んでいく可能性《かのうせい》は否定《ひてい》できません。

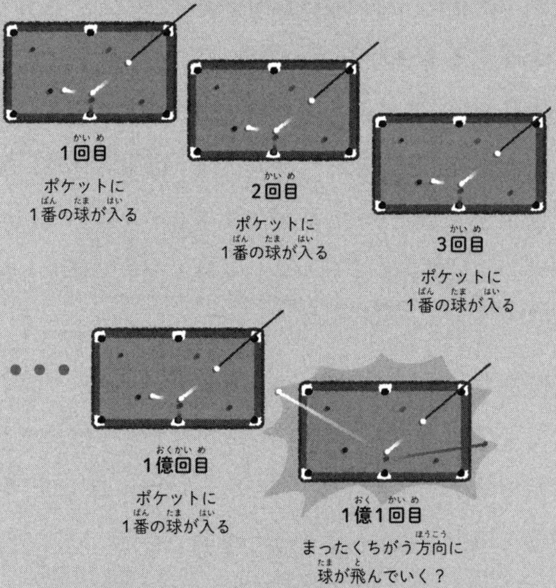

注《ちゅう》：厳密《げんみつ》には，「因果関係《いんがかんけい》の問題《もんだい》」と「帰納《きのう》の問題《もんだい》」を区別《くべつ》する必要《ひつよう》があります。因果関係《いんがかんけい》の問題《もんだい》は，過去《かこ》に1億回《おくかい》起《お》きた出来事《できごと》の連鎖《れんさ》には，何《なに》か必然性《ひつぜんせい》があるのかという問題《もんだい》です。必然性《ひつぜんせい》があるのなら，次《つぎ》も同《おな》じように起《お》きると考《かんが》える理由《りゆう》になります。帰納《きのう》の問題《もんだい》は，過去《かこ》に1億回《おくかい》起《お》きたことでも，1億《おく》1回目《かいめ》も同《おな》じように起《お》きると考《かんが》えていいのかという問題《もんだい》です。ヒュームは，因果関係《いんがかんけい》の問題《もんだい》も帰納《きのう》の問題《もんだい》も，同《おな》じように起《お》きると考《かんが》える根拠《こんきょ》がないと考《かんが》えました。

因果関係《いんがかんけい》は，習慣《しゅうかん》に導《みちび》かれた推測《すいそく》にすぎない

ヒュームは，「因果関係《いんがかんけい》」とは目《め》に見《み》える規則《きそく》性《せい》にすぎず，その背後《はいご》にある必然性《ひつぜんせい》のようなものを想定《そうてい》する部分《ぶぶん》については，幻想《げんそう》だと考《かんが》えていました。「球《たま》が衝突《しょうとつ》したこと」が「球《たま》が飛《と》んでいったこと」を引《ひ》きおこしたという因果関係《いんがかんけい》は，実《じつ》は習慣《しゅうかん》に導《みちび》かれた推測《すいそく》にすぎません。つまり，どんなに実験《じっけん》をくりかえしても，因果関係《いんがかんけい》をもちいて推測《すいそく》した結果《けっか》が，絶対《ぜったい》に正《ただ》しいものとなることはありません。

こうしてヒュームは，「実験《じっけん》をもとに構築《こうちく》された理論《りろん》」の弱点《じゃくてん》を明《あき》らかにしました。これは，科《か》学《がく》の根底《こんてい》をゆるがすような指摘《してき》でした。

— 18世紀《せいき》：ベイズの定理《ていり》 —

10 ベイズ「多数《たすう》の原因《げんいん》を仮定《かてい》して，原因《げんいん》の確率《かくりつ》を考《かんが》えよ」

ベイズの定理《ていり》の原型《げんけい》となる確率《かくりつ》の考《かんが》え方《かた》

イギリスの牧師《ぼくし》で，哲学者《てつがくしゃ》で数学者《すうがくしゃ》のトーマス・ベイズ（1702～1761）は，「ベイズの定理《ていり》」の生《う》みの親《おや》です。

ベイズの定理《ていり》は，ある結果《けっか》が得《え》られたときに，その原因《げんいん》を数学的《すうがくてき》に推定《すいてい》するための定理《ていり》です。ベイズの定理《ていり》の原型《げんけい》となる確率《かくりつ》の考《かんが》え方《かた》は，ベイズが数学者《すうがくしゃ》として残《のこ》した唯一《ゆいいつ》の論文《ろんぶん》にしるされました。それは，「ある結果《けっか》の原因《げんいん》がわからないときは，ありうるいろいろな原因《げんいん》を想定《そうてい》し，それぞれの原因《げんいん》からその結果《けっか》がどのくらい起《お》きそうかを調《しら》べるといい。そこから，どの原因《げんいん》がいちばんありそうかを，逆算《ぎゃくさん》することができる」というものです。

ベイズの定理《ていり》は，確率論《かくりつろん》の基礎《きそ》に位置《いち》づけられた

ベイズは，論文《ろんぶん》を公表《こうひょう》しないまま，この世《よ》を去《さ》りました。論文《ろんぶん》は，ベイズの友人《ゆうじん》でウェールズの哲学者《てつがくしゃ》のリチャード・プライス（1723～1791）が，1763年《ねん》に出版《しゅっぱん》しました。そしてフランスの数学者《すうがくしゃ》のピエール＝シモン・ラプラス（1749～1827）によって，ベイズの定理《ていり》は確率《かくりつ》論《ろん》の基礎《きそ》として位置《いち》づけられました。

原因《げんいん》についての確率《かくりつ》に注目《ちゅうもく》したベイズの考《かんが》え方《かた》は，結果《けっか》から原因《げんいん》の確率《かくりつ》を求《もと》める，のちの「ベイズ統計学《とうけいがく》」の土台《どだい》となりました。

10 ベイズが暮《く》らした住居《じゅうきょ》

イギリスの町《まち》タンブリッジ・ウェルズに残《のこ》る，ベイズが暮《く》らしたとされる住居《じゅうきょ》をえがきました。

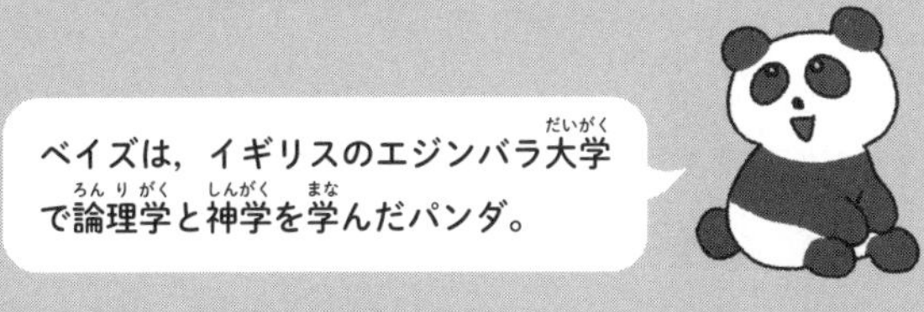

11 カント「私《わたし》たちの認識《にんしき》が，世界《せかい》をつくっている」

180°ことなる世界《せかい》のとらえかたをした

「コペルニクス的転回《てきてんかい》」という言葉《ことば》があります※。この言葉《ことば》を生《う》み出《だ》したのは，ドイツの哲学者《てつがくしゃ》のイマヌエル・カント（1724～1804）です。カントが登場《とうじょう》する以前《いぜん》の哲学《てつがく》は，「まず秩序《ちつじょ》だった世界《せかい》が先《さき》にあって，私《わたし》たちはそれを認識《にんしき》している」という前提《ぜんてい》に立《た》っていました。しかしカントは，「私《わたし》たちの認識《にんしき》がまず先《さき》にあって，認識《にんしき》が秩序《ちつじょ》だった世界《せかい》をつくりあげている」というように，従来《じゅうらい》とは180°ことなる世界《せかい》のとらえかたをしたのです。

※：「コペルニクス的転回《てきてんかい》」とは，コペルニクスの提唱《ていしょう》した「地動説《ちどうせつ》」が「天動説《てんどうせつ》」をくつがえしたことになぞらえ，物事《ものごと》の見方《みかた》が180°変《か》わることをあらわす言葉《ことば》です。

フィルターを通《とお》して秩序《ちつじょ》だった世界《せかい》として認識《にんしき》

　カントの考《かんが》えでは，私《わたし》たちは外《そと》の世界《せかい》を認識《にんしき》するための「フィルター」を，あらかじめもっています。外《そと》の世界《せかい》がほんとうはどんな姿《すがた》をしているのかを，私《わたし》たちは知《し》ることができません。しかしフィルターを通《とお》して外《そと》の世界《せかい》（物自体《ものじたい》）をとらえることで，自然法則《しぜんほうそく》に支配《しはい》された秩序《ちつじょ》だった世界《せかい》として認識《にんしき》できると考《かんが》えます。

　フィルターは，人類共通《じんるいきょうつう》のものであり，認識《にんしき》によって皆《みな》が同《おな》じ世界《せかい》をつくっています。カントは，この世界《せかい》の中《なか》でならば，「客観的《きゃっかんてき》な知《ち》」を積《つ》み上《あ》げることができると考《かんが》えたのです。

カントは自然哲学《しぜんてつがく》にも関心《かんしん》があり，ニュートン力学《りきがく》の影響《えいきょう》を受《う》けて，ガスが集《あつ》まって太陽系《たいようけい》ができたとする「星雲説《せいうんせつ》」をとなえたことでも知《し》られているのだ。

11 フィルターを通《とお》した世界《せかい》

カントの考《かんが》えにもとづき，私《わたし》たちが世界《せかい》を認識《にんしき》しているしくみをえがきました。外《そと》の世界《せかい》には「物自体《ものじたい》」があり，私《わたし》たちはあらかじめもっている共通《きょうつう》のフィルターを通《とお》して物自体《ものじたい》をとらえているとされます。

カントの考《かんが》えでは，私《わたし》たちはフィルター を通《とお》して，物体《ぶったい》を認識《にんしき》しているのね。

社交的《しゃこうてき》な哲学者《てつがくしゃ》カント

ケーニヒスベルクの時計《とけい》

第《だい》3章《しょう》

科学《かがく》と発展《はってん》した！
近代《きんだい》の哲学《てつがく》

哲学《てつがく》と科学《かがく》は，分《わ》かれたあとも，たがいに影響《えいきょう》をおよぼしあいました。第《だい》3章《しょう》では，科学《かがく》と発展《はってん》した，近代《きんだい》の哲学《てつがく》をみていきましょう。

— 18～19世紀《せいき》：進歩思想《しんぽしそう》 —

1 ヘーゲル「世界《せかい》は，進歩《しんぽ》しつづけている」

世界《せかい》は，前進《ぜんしん》も後退《こうたい》もしないと考《かんが》えられていた

科学《かがく》が哲学《てつがく》から分離《ぶんり》しつつあった18世紀《せいき》ごろ，産業革命《さんぎょうかくめい》がおき，人々《ひとびと》の生活《せいかつ》は大《おお》きく変《か》わりました。この変革《へんかく》の時代《じだい》に活躍《かつやく》したのが，ドイツの哲学者《てつがくしゃ》のフリードリヒ・ヘーゲル（1770～1831）です。

キリスト教《きょう》では，神《かみ》が創造《そうぞう》した世界《せかい》は，終焉《しゅうえん》の時《とき》をむかえるまで前進《ぜんしん》も後退《こうたい》もしないと考《かんが》えられていました。**そんななかヘーゲルは，「人類《じんるい》は究極的《きゅうきょくてき》な目標《もくひょう》に向《む》かって進歩《しんぽ》しつづけている」ととなえたのです。**ヘーゲルの考《かんが》えは「進歩思想《しんぽしそう》」とよばれ，ドイツの哲学者《てつがくしゃ》のカール・マルクス（1818～1883）などに，継承《けいしょう》されました。

1 進歩《しんぽ》をつづける世界観《せかいかん》

ヘーゲルを代表《だいひょう》とする進歩思想《しんぽしそう》のイメージを，交通《こうつう》手段《しゅだん》の進歩《しんぽ》にたとえてえがきました。人類《じんるい》をとりまく世界《せかい》が進歩《しんぽ》しつづけているという考《かんが》えは，18世《せい》紀《き》に生《う》まれたものです。

生物《せいぶつ》は，
進化《しんか》してきたものだとする考《かんが》え

ヘーゲルに代表《だいひょう》される進歩思想《しんぽしそう》が，「進化論《しんかろん》」に影響《えいきょう》をあたえていたとする説《せつ》があります。進《しん》化論《かろん》とは，生物《せいぶつ》は神《かみ》が創造《そうぞう》した不変《ふへん》のものであるという当時《とうじ》の常識《じょうしき》を疑《うたが》い，「生物《せいぶつ》は長《なが》い時間《じかん》をかけて進化《しんか》してきたものだ」とする，18世紀《せいき》に生《う》まれた考《かんが》えです。

進歩思想《しんぽしそう》と進化論《しんかろん》は，「過去《かこ》から未来《みらい》に向《む》かって変化《へんか》しつづけている」という図式《ずしき》が共通《きょうつう》しており，たがいの主張《しゅちょう》に影響《えいきょう》をあたえていただろうと考《かんが》えられているのです。

注《ちゅう》：進化論《しんかろん》の代表者《だいひょうしゃ》であるイギリスの生物学者《せいぶつがくしゃ》のチャールズ・ダーウィン（1809～1882）は，進化《しんか》を進歩《しんぽ》（よりすぐれた方向《ほうこう》への進行《しんこう》）とは考《かんが》えませんでした。

— 19世紀《せいき》：ラプラスの悪魔《あくま》 —

2 ラプラス「不確実《ふかくじつ》なことは，何《なに》もない」

未来《みらい》をすべて見通《みとお》しているはず

19世紀《せいき》，フランスの数学者《すうがくしゃ》であるピエール・ラプラス（1749～1827）は，「もしも世界《せかい》のすべてを把握《はあく》している知性《ちせい》が存在《そんざい》すれば，その知性《ちせい》にとっては不確実《ふかくじつ》なことは何《なに》もなくなり，その目《め》は未来《みらい》をすべて見通《みとお》しているはずである」といった意味《いみ》の主張《しゅちょう》をしました。

現時点《げんじてん》の世界《せかい》のすべてを把握《はあく》する知性《ちせい》とはつまり，この世界《せかい》に存在《そんざい》するあらゆるものの位置《いち》や速度《そくど》を把握《はあく》できる，「全知全能《ぜんちぜんのう》の神《かみ》」のような存在《そんざい》のことです。ラプラスが想定《そうてい》した知性《ちせい》は，のちに「ラプラスの悪魔《あくま》」とよばれるようになります。

世界《せかい》は，決定論的《けっていろんてき》である という考《かんが》え

ラプラスの悪魔《あくま》にとっては，決定論的《けっていろんてき》な物理法《ぶつりほう》則《そく》を前提《ぜんてい》にすると，世界《せかい》のあらゆる出来事《できごと》があらかじめ決《き》まったものとして見《み》えます。

「世界《せかい》は，人間《にんげん》がその能力不足《のうりょくぶそく》ゆえにすべてを把握《はあく》することはできないが，本質的《ほんしつてき》には決定論的《けっていろんてき》である」。19世紀《せいき》までは，そのような考《かんが》え方《かた》が支持《しじ》を集《あつ》めたのです。ところが20世《せい》に入《はい》り，科《か》学《がく》がミクロの世界《せかい》へ徐々《じょじょ》に足《あし》を踏《ふ》み入《い》れるにつれ，その考《かんが》えには大《おお》きな疑問《ぎもん》が生《しょう》じることになります。

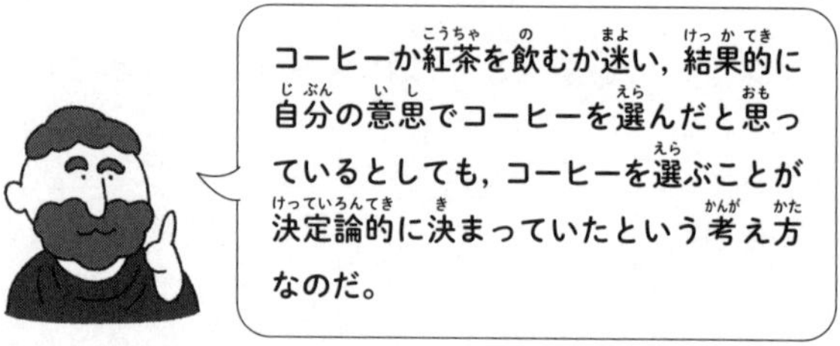

2 ラプラスの悪魔《あくま》が見《み》る世界《せかい》

ラプラスの悪魔《あくま》が見《み》る世界《せかい》のイメージを，水晶玉《すいしょうだま》の中《なか》にえがきました。ラプラスの悪魔《あくま》は，あらゆるものの位置《いち》や速度《そくど》を把握《はあく》することができます。未来《みらい》におきるあらゆるできごとは，決定論《けっていろん》として完全《かんぜん》に見《み》通《とお》すことができるでしょう。

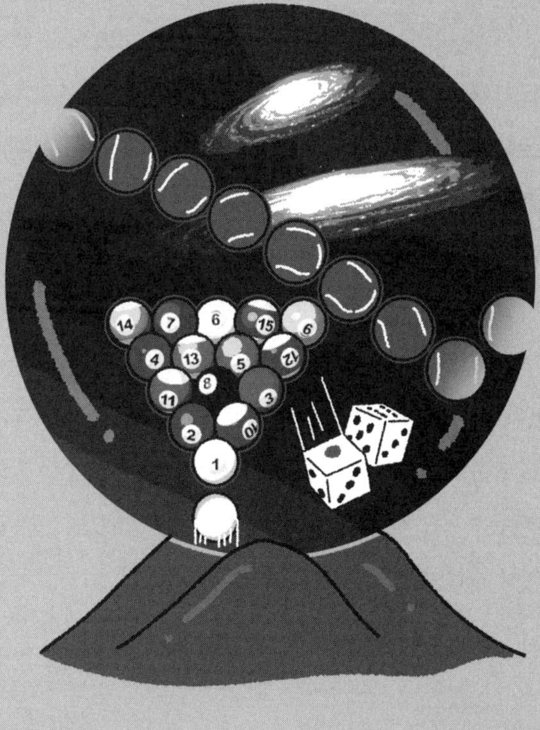

— 19世紀後半《せいきこうはん》：エーテルの風《かぜ》 —

3 マイケルソン「エーテルの風《かぜ》が，とらえられない」

エーテルの風《かぜ》が吹《ふ》いているはず

19世紀《せいき》の物理学《ぶつりがく》では，光《ひかり》は単純《たんじゅん》な波《なみ》だと考《かんが》えられていました。そして光《ひかり》の波《なみ》を伝《つた》えるのは，空間《くうかん》を満《み》たす「エーテル」という未発見《みはっけん》の物質《ぶっしつ》だと考《かんが》えられていました。しかし，エーテルが存《そん》在《ざい》する証拠《しょうこ》は，見《み》つかっていませんでした。

アメリカの物理学者《ぶつりがくしゃ》のアルバート・マイケルソン（1852～1931）とエドワード・モーリー（1838～1923）は，地球《ちきゅう》はエーテルの中《なか》に存在《そんざい》しており，エーテルの中《なか》を高速《こうそく》で移動《いどう》しているはずだから，地球《ちきゅう》からみればエーテルの風《かぜ》が吹《ふ》いているはずだと考《かんが》えました。

3 エーテルの風《かぜ》を確認《かくにん》する実験《じっけん》

マイケルソンとモーリーの実験《じっけん》のようすをえがきました。光源《こうげん》を出《で》た光《ひかり》は，ハーフミラーで経路《けいろ》Aと経路《けいろ》Bに分《わ》けられます。経路《けいろ》Aを通《とお》ってきた光《ひかり》と，経路《けいろ》Bを通《とお》ってきた光《ひかり》を，光検出《ひかりけんしゅつ》器《き》で検出《けんしゅつ》して，それぞれの光《ひかり》の到着時刻《とうちゃくじこく》を観測《かんそく》しました。エーテルの風《かぜ》が存在《そんざい》すれば，到着時刻《とうちゃくじこく》にずれが出《で》ます。

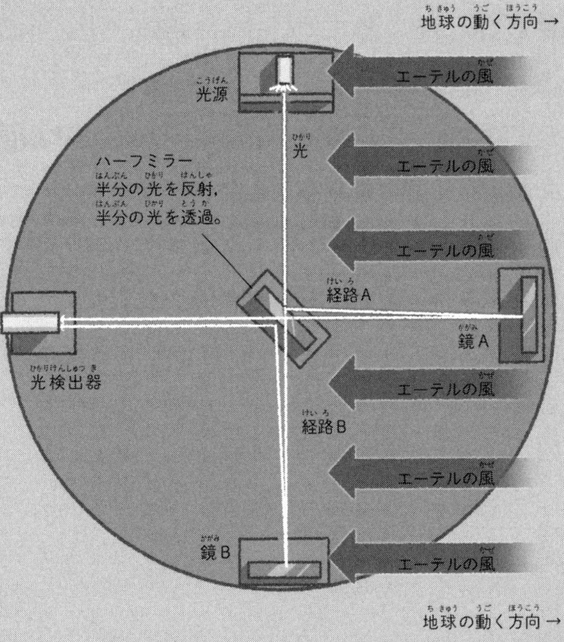

経路《けいろ》A：光源《こうげん》→ ハーフミラー → 鏡《かがみ》A → ハーフミラー → 光検出器《ひかりけんしゅつき》
経路《けいろ》B：光源《こうげん》→ ハーフミラー → 鏡《かがみ》B → ハーフミラー → 光検出器《ひかりけんしゅつき》

光《ひかり》や空間《くうかん》の認識《にんしき》に，変化《へんか》が近《ちか》づいていた

マイケルソンらは，101ページのイラストのような実験装置《じっけんそうち》を用意《ようい》しました。地球《ちきゅう》の動《うご》く方向《ほうこう》と，それとは垂直《すいちょく》の方向《ほうこう》とに進《すす》む二《ふた》つの光《ひかり》の速《はや》さをくらべることで，エーテルの風《かぜ》を，とらえようというわけです。

実験《じっけん》では，エーテルの風《かぜ》はとらえられませんでした。当時《とうじ》この結果《けっか》は，単《たん》に奇妙《きみょう》な結果《けっか》としてしか受《う》け止《と》められませんでした。しかしあとから振《ふ》り返《かえ》れば，光《ひかり》や空間《くうかん》についての認識《にんしき》に，大《おお》きな変化《へんか》が近《ちか》づいていることを予見《よけん》する結果《けっか》でした。

注《ちゅう》：ドイツ生《う》まれの物理学者《ぶつりがくしゃ》のアルバート・アインシュタイン（1879～1955）は，光《ひかり》の速度《そくど》が誰《だれ》から見《み》ても一定《いってい》であることなどをもとに，1905年《ねん》に時間《じかん》と空間《くうかん》の理論《りろん》である「特殊相対性理論《とくしゅそうたいせいりろん》」を発表《はっぴょう》しました。

memo

神《かみ》は死《し》んだ

キリスト教《きょう》が広《ひろ》く信仰《しんこう》されている時代《じだい》に，ドイツの哲学者《てつがくしゃ》のフリードリッヒ・ニーチェ（1844～1900）は，「神《かみ》は死《し》んだ」と語《かた》りました。どういう意味《いみ》なのでしょうか。

ニーチェは，キリスト教《きょう》の根底《こんてい》には，弱者《じゃくしゃ》であることを善《ぜん》，強者《きょうしゃ》であることを悪《あく》とする価値観《かちかん》があると指摘《してき》しました。ニーチェの考《かんが》える真《しん》の善悪《ぜんあく》の起源《きげん》は，弱者《じゃくしゃ》の強者《きょうしゃ》に対《たい》するねたみや怨念《おんねん》というものでした。**そのためニーチェは，善悪《ぜんあく》は社会《しゃかい》に存在《そんざい》するさまざまな力関係《ちからかんけい》の優劣《ゆうれつ》によって生《う》まれるものであり，善悪《ぜんあく》の判断《はんだん》をくだす神《かみ》は最初《さいしょ》から必《ひつ》要《よう》ないと主張《しゅちょう》しました。**それが，「神《かみ》は死《し》んだ」というニーチェの言葉《ことば》の意味《いみ》です。

それまで信《しん》じられてきた価値観《かちかん》がまやかしにすぎ

ないとする考《かんが》え方《かた》を,「ニヒリズム」といいます。**ニーチェは人《ひと》びとに,キリスト教《きょう》の価値観《かちかん》はまやかしにすぎず,自分自身《じぶんじしん》の価値観《かちかん》にもとづいて生《い》きることが重要《じゅうよう》だと説《と》いたのです。**

フリードリッヒ・ニーチェ
（1844～1900）

— 19世紀《せいき》後半《こうはん》：マッハの原理《げんり》 —

4 マッハ「宇宙全体《うちゅうぜんたい》が回転《かいてん》したら，バケツの水面《すいめん》はへこむ」

絶対空間《ぜったいくうかん》に対《たい》して回転《かいてん》している

17世紀《せいき》に構築《こうちく》された「ニュートン力学《りきがく》」では，物体《ぶったい》の運動《うんどう》を「固定《こてい》された空間《くうかん》（絶対空間《ぜったいくうかん》）の中《なか》で，物体《ぶったい》の位置《いち》が変化《へんか》すること」だと考《かんが》えます。しかし当時《とうじ》，ドイツの哲学者《てつがくしゃ》のゴットフリート・ライプニッツ（1646～1716）は，物体《ぶったい》の運動《うんどう》を「物体《ぶったい》どうしの相対的《そうたいてき》な位置関係《いちかんけい》が変化《へんか》すること」と考《かんが》え，絶対空間《ぜったいくうかん》を否定《ひてい》しました。

論争《ろんそう》の中《なか》で，ニュートンは，「何《なに》もない宇宙《うちゅう》で回転《かいてん》するバケツ」の思考実験《しこうじっけん》を行《おこな》いました。「バケツの水面《すいめん》がへこむのは，絶対空間《ぜったいくうかん》に対《たい》して回転《かいてん》しているからだ」と主張《しゅちょう》したのです。

バケツと水以外《みずいがい》のすべてが，相対的《そうたいてき》に回転《かいてん》

200年後《ねんご》，論争《ろんそう》をむしかえしたのが，オーストリアの物理学者《ぶつりがくしゃ》で哲学者《てつがくしゃ》のエルンスト・マッハ（1838～1916）でした。マッハは，「たとえバケツと水《みず》が静止《せいし》していても，宇宙《うちゅう》にあるバケツと水以外《みずいがい》のすべてが相対的《そうたいてき》に回転《かいてん》していれば，その影響《えいきょう》で水面《すいめん》がへこむ可能性《かのうせい》は否定《ひてい》できない」と主張《しゅちょう》しました（ただし根拠《こんきょ》はありませんでした）。この考《かんが》えは，「マッハの原理《げんり》」とよばれています。

マッハは，音速《おんそく》をこえた物体《ぶったい》が「衝撃波《しょうげきは》」を生《しょう》じさせることを実験的《じっけんてき》に示《しめ》したパンダ。音速《おんそく》を基準《きじゅん》にした速度《そくど》の単位《たんい》「マッハ数《すう》」は，彼《かれ》の名《な》に由来《ゆらい》するパンダ。

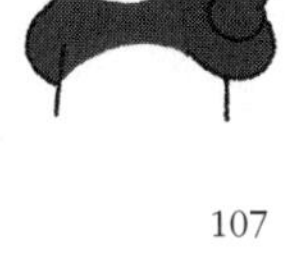

4 ニュートンvs.マッハ

ニュートン力学《りきがく》にもとづく絶対空間《ぜったいくうかん》の中《なか》で回転《かいてん》するバケツ（A）と，マッハの考《かんが》えにもとづく静止《せいし》したバケツの周囲《しゅうい》を回転《かいてん》する宇宙《うちゅう》（B）をえがきました。

A. 絶対空間《ぜったいくうかん》の中《なか》で回転《かいてん》するバケツ

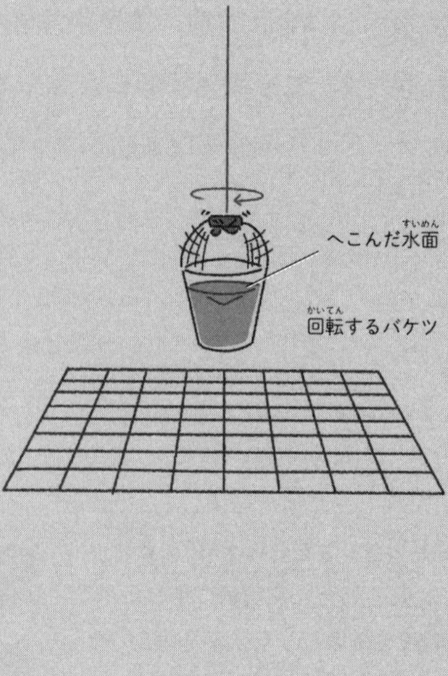

B. 静止《せいし》したバケツの周囲《しゅうい》を回転《かいてん》する宇宙《うちゅう》

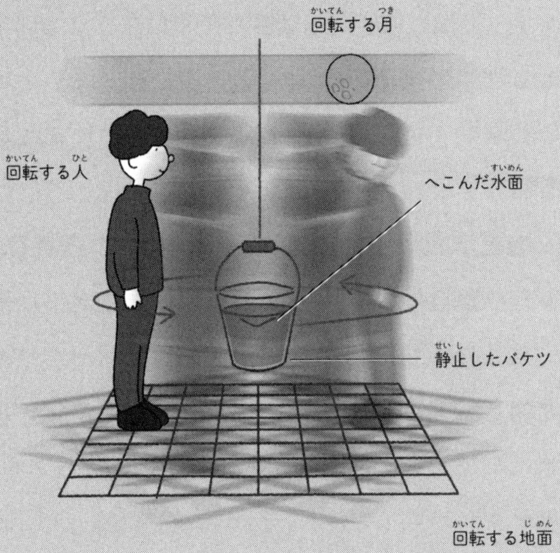

— 19世紀《せいき》後半《こうはん》：中立一元論《ちゅうりついちげんろん》 —

5 マッハ「人間《にんげん》が知覚《ちかく》しないところでも，存在《そんざい》している」

非物質論《ひぶっしつろん》と実在論《じつざいろん》の中間《ちゅうかん》のような立場《たちば》

マッハは，哲学的《てつがくてき》な議論《ぎろん》だけではなく，物理学《ぶつりがく》と心理学《しんりがく》の両方《りょうほう》で研究《けんきゅう》を行《おこな》っていました。とくに心理学《しんりがく》では，錯視《さくし》の研究《けんきゅう》などの知覚《ちかく》にまつわる研究《けんきゅう》を行《おこな》っていました。

物理学《ぶつりがく》と心理学《しんりがく》にまたがるマッハの研究《けんきゅう》は，マッハ独自《どくじ》の存在論《そんざいろん》である，「中立一元論《ちゅうりついちげんろん》」にそったものでした。中立一元論《ちゅうりついちげんろん》とは，バークリの非物質論《ひぶっしつろん》と実在論《じつざいろん》の中間《ちゅうかん》のような立場《たちば》で，われわれが知覚《ちかく》する対象《たいしょう》が知覚《ちかく》されないところでも，世界《せかい》を形《かたち》づくっているという考《かんが》え方《かた》です。

5 物理学《ぶつりがく》と心理学《しんりがく》のちがい

マッハが考《かんが》える，物理学《ぶつりがく》と心理学《しんりがく》のちがいをえがきました。たとえば色《いろ》について研究《けんきゅう》する場合《ばあい》，色《いろ》と光《こう》源《げん》の関係《かんけい》は物理学《ぶつりがく》の対象《たいしょう》になります。一方《いっぽう》，色《いろ》からの連想《れんそう》は，心理学《しんりがく》の対象《たいしょう》になります。

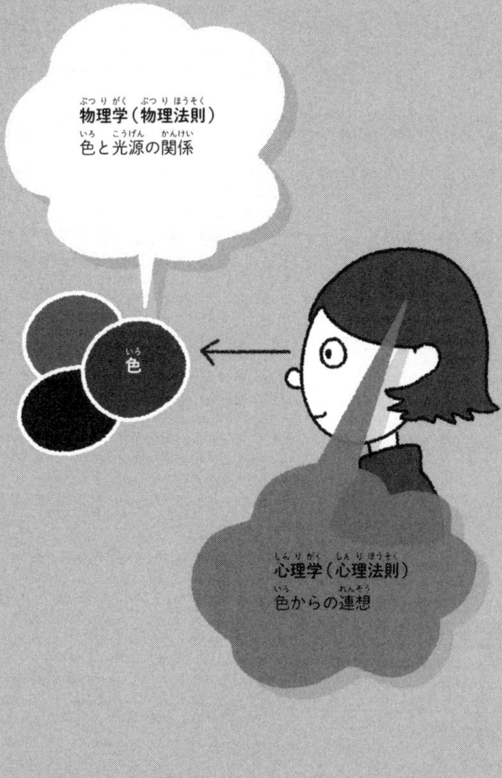

実験《じっけん》と哲学的《てつがくてき》な考察《こうさつ》の両方《りょうほう》から研究《けんきゅう》可能《かのう》に

マッハは，物理学《ぶつりがく》と心理学《しんりがく》でことなるのは，研《けん》究《きゅう》の方向性《ほうこうせい》だと考《かんが》えていました。

たとえば色《いろ》について研究《けんきゅう》する場合《ばあい》，色《いろ》と光源《こうげん》の関係《かんけい》や，色《いろ》と温度《おんど》の関係《かんけい》，色《いろ》と空間《くうかん》の関係《かんけい》は，物理学《ぶつりがく》の対象《たいしょう》になります。一方《いっぽう》，色《いろ》と錯覚《さっかく》などの研究《けんきゅう》は，心理学《しんりがく》の対象《たいしょう》となります。

マッハの研究《けんきゅう》は，「実験心理学《じっけんしんりがく》」の確立《かくりつ》につながりました。たとえば，見《み》ることはどういうことかという問題《もんだい》に対《たい》して，実験《じっけん》と哲学的《てつがくてき》な考察《こうさつ》の両方《りょうほう》から，研究《けんきゅう》することができるようになったのです。

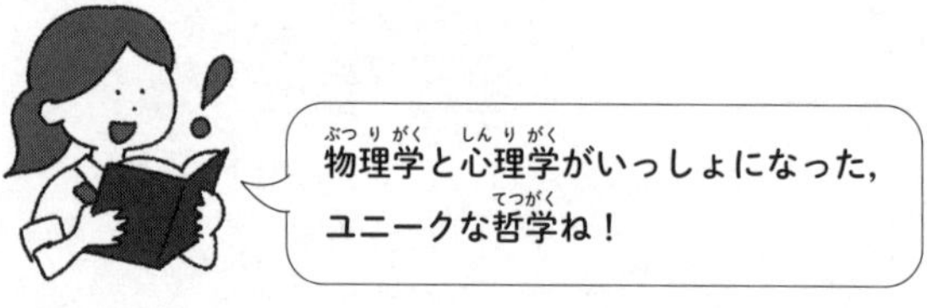

memo

— 19世紀《せいき》後半《こうはん》：科学的実在論《かがくてきじつざいろん》 —

6 ボルツマン「目《め》に見《み》えないものも，存在《そんざい》している」

おおむね科学理論《かがくりろん》どおりに存在《そんざい》している

「科学《かがく》の目的《もくてき》は，目《め》に見《み》えない世界《せかい》の構造《こうぞう》を明《あき》らかにすることだ」。こうした科学《かがく》への考《かんが》え方《かた》は，現代《げんだい》の「科学的実在論《かがくてきじつざいろん》」へとつながりました。科《か》学的実在論《がくてきじつざいろん》とは，「電子《でんし》や光子《こうし》といった目《め》に見《み》えないものは，おおむね現在《げんざい》の科学理論《かがくりろん》どおりに存《そん》在《ざい》している」という考《かんが》え方《かた》です。

19世紀後半《せいきこうはん》，科学的実在論《かがくてきじつざいろん》の代表的《だいひょうてき》な研究者《けんきゅうしゃ》だったのが，オーストリアの物理学者《ぶつりがくしゃ》で哲学者《てつがくしゃ》のルードヴィヒ・ボルツマン（1844～1906）です。

熱現象《ねつげんしょう》を，分子《ぶんし》の運動《うんどう》で説明《せつめい》した

　ボルツマンは，グラーツ大学《だいがく》やウィーン大学《だいがく》で研究《けんきゅう》を行《おこな》い，熱現象《ねつげんしょう》を分子《ぶんし》の運動《うんどう》で説明《せつめい》するモデルを発展《はってん》させて，統計力学《とうけいりきがく》の基礎《きそ》をつくりあげました。また，熱力学《ねつりきがく》における物質《ぶっしつ》の状態《じょうたい》を，分子《ぶんし》のばらばら加減《かげん》をあらわす「エントロピー」という量《りょう》で説明《せつめい》しました。

　当時《とうじ》は，物質《ぶっしつ》が極小《きょくしょう》の原子《げんし》でできているという「原子論《げんしろん》」は，単《たん》なる仮説《かせつ》とされていました。ボルツマンは，原子論《げんしろん》の正《ただ》しさを主張《しゅちょう》したために，反対《はんたい》するマッハの支持者《しじしゃ》からきびしく批判《ひはん》されました。

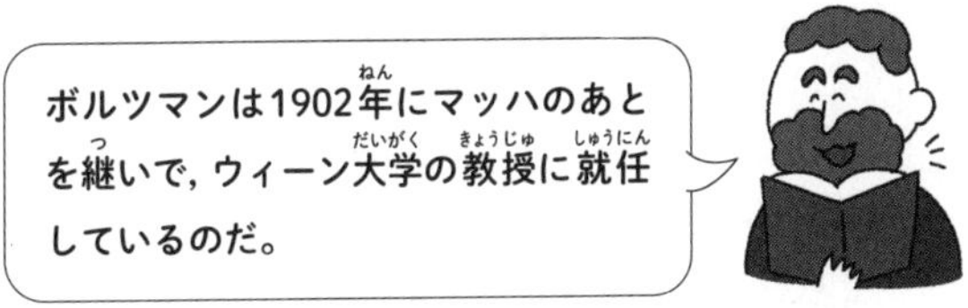

6 気体《きたい》の分子《ぶんし》の運動《うんどう》

空気中《くうきちゅう》の分子《ぶんし》の運動《うんどう》をえがきました。物質《ぶっしつ》の温度《おんど》は，分子《ぶんし》の運《うん》動《どう》がはげしいほど高《たか》くなります。イラストの空気《くうき》の温度《おんど》は，いちばん左《ひだり》が最《もっと》も低《ひく》く，右《みぎ》にいくほど高《たか》くなります。

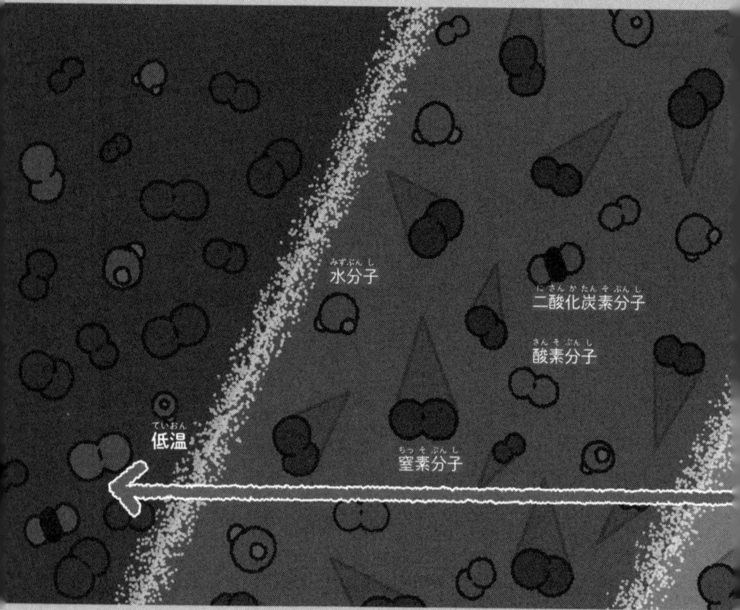

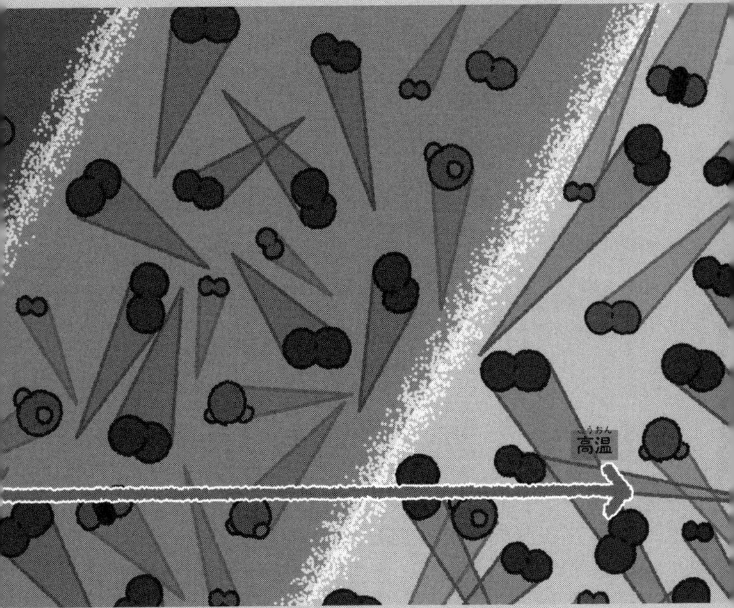
高温《こうおん》

考《かんが》える人《ひと》って何《なに》？

博士《はかせ》，考《かんが》える人《ひと》って何《なん》ですか？

彫刻《ちょうこく》の考《かんが》える人《ひと》のことかの。考《かんが》える人《ひと》は，フランスの彫刻家《ちょうこくか》のオーギュスト・ロダン（1840～1917）がつくった銅像《どうぞう》じゃ。青年《せいねん》が，ひじをついた右手《みぎて》にあごを当《あ》てて，じっと考《かんが》えているようすをあらわしておる。

へぇ～。考《かんが》える人《ひと》は，何《なに》を考《かんが》えているんですか？

いろいろな説《せつ》がある。というのも，実《じつ》は考《かんが》える人《ひと》は，もともとは「地獄《じごく》の門《もん》」とよばれる作品《さくひん》の一部分《いちぶぶん》なんじゃ。地獄《じごく》の門《もん》は，地獄《じごく》の入口《いりぐち》にあるとされる門《もん》で，その門《もん》の上《うえ》にいるのが考《かんが》える人《ひと》じゃ。

地獄《じごく》……!!

うむ。運命《うんめい》を考《かんが》えているという説《せつ》や，地獄《じごく》に向《む》かう人々《ひとびと》を見《み》ているだけで，考《かんが》えていないという説《せつ》もある。

へえ。

— 19世紀《せいき》後半《こうはん》：無意識《むいしき》 —

7 フロイト「人《ひと》の行動《こうどう》は，無意識《むいしき》に支配《しはい》されている」

自身《じしん》の行動《こうどう》の動機《どうき》を，うまく説明《せつめい》できない

私《わたし》たちは，「自分《じぶん》の行動《こうどう》はすべて意識的《いしきてき》に決《き》めている」と思《おも》っています。しかし自身《じしん》の行動《こうどう》の動《どう》機《き》を，うまく説明《せつめい》できない場合《ばあい》もたくさんあるはずです。この理由《りゆう》を，「無意識《むいしき》」によって説明《せつめい》したのが，心理学者《しんりがくしゃ》のジークムント・フロイト（1856～1939）でした。

フロイトは，「人《ひと》の行動《こうどう》は無意識《むいしき》に支配《しはい》されている」ととなえ，当時《とうじ》の哲学《てつがく》に大《おお》きな衝撃《しょうげき》をあたえました。

7 無意識《むいしき》の選択《せんたく》

ある男性《だんせい》が，白《しろ》と黒《くろ》のイスから，黒《くろ》のイスを無意識的《むいしきてき》に選《えら》ぶようすをえがきました。フロイトは，私《わたし》たちの心《こころ》の大部分《だいぶぶん》は，無意識《むいしき》に支配《しはい》されていると考《かんが》えました。

意識《いしき》は，信用《しんよう》できないものになってしまった

実《じつ》はそれまでの哲学《てつがく》では，意識《いしき》（心《こころ》）は理性《りせい》によって制御《せいぎょ》されている，絶対的《ぜったいてき》に確《たし》かな存在《そんざい》だとみなされていました。**しかしフロイトの提唱《ていしょう》によって，意識《いしき》は，自分《じぶん》では認識《にんしき》できない無意識《むいしき》に突《つ》き動《うご》かされる，信用《しんよう》できないものになってしまいました。**心《こころ》や意識《いしき》について考《かんが》える際《さい》の，哲学《てつがく》の暗黙《あんもく》の前提《ぜんてい》が見直《みなお》され，「意識《いしき》とはいったい何《なん》なのか」という問《と》いがあらためて注目《ちゅうもく》されることになりました。

フロイトの研究《けんきゅう》は，科学《かがく》とみなせるのかどうかが論争《ろんそう》の的《まと》となりました。しかし，目《め》に見《み》えない心《こころ》のしくみを解《と》き明《あ》かそうとしたという意味《いみ》で，フロイトは近年《きんねん》の認知科学《にんちかがく》の先駆者《せんくしゃ》ともいえます。

memo

— 19〜20世紀《せいき》：ラッセルのパラドックス —

8 数学《すうがく》を論理的《ろんりてき》な真理《しんり》にもどすことはできなかった

記号論理学《きごうろんりがく》を発展《はってん》させた「フレーゲの論理説《ろんりせつ》」

19世紀《せいき》から20世紀《せいき》はじめに数学《すうがく》が発展《はってん》をとげるなかで，「数学的真理《すうがくてきしんり》」が何《なに》にもとづいているのかが，あらためて問題《もんだい》になりました。

数学的真理《すうがくてきしんり》についてのさまざまな研究《けんきゅう》のなかに，ドイツの論理学者《ろんりがくしゃ》のゴットロープ・フレーゲ（1848〜1925）が提唱《ていしょう》した，「フレーゲの論理《ろんり》説《せつ》」があります。フレーゲの論理説《ろんりせつ》は，記号論理《きごうろんり》学《がく》を発展《はってん》させたもので，数学《すうがく》を論理的《ろんりてき》な真理《しんり》にもどすというものでした。ところが，フレーゲの集合《しゅうごう》の概念《がいねん》には，矛盾《むじゅん》がありました。

「公理的集合論《こうりてきしゅうごうろん》」にもとづくことに

　イギリスの論理学者《ろんりがくしゃ》のバートランド・ラッセル（1872～1970）は，フレーゲの集合《しゅうごう》の概念《がいねん》の矛《む》盾《じゅん》をつきました。これを，「ラッセルのパラドックス」といいます。そしてラッセルのパラドックスを回避《かいひ》するために考《かんが》えられたのが，「公理的集合論《こうりてきしゅうごうろん》」です。こうして数学的真理《すうがくてきしんり》は，公理的集合論《こうりてきしゅうごうろん》にもとづくことになりました。

　公理的集合論《こうりてきしゅうごうろん》の「公理《こうり》」とは，論理的《ろんりてき》な真理《しんり》を示《しめ》していません。つまりこれは，フレーゲのねらいだった「数学《すうがく》を論理的《ろんりてき》な真理《しんり》にもどす」ということが，できなかったことを意味《いみ》するのです。

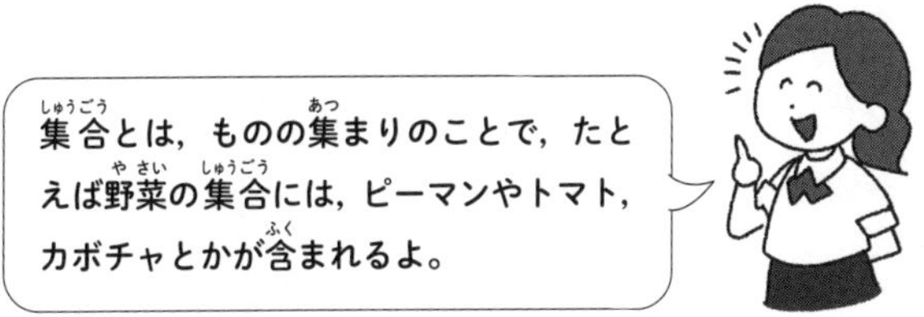

8 床屋《とこや》のパラドックス

ラッセルのパラドックスの例《れい》である，床屋《とこや》のパラドックスをえがきました。床屋《とこや》は，自分《じぶん》でヒゲをそらない町人《ちょうにん》のヒゲをそり（ルールA），自分《じぶん》でヒゲをそる町人《ちょうにん》のヒゲはそりません（ルールB）。床屋《とこや》が自分《じぶん》でヒゲをそろうとすると，ルールBにより，それなくなります。逆《ぎゃく》に床屋《とこや》が自分《じぶん》でヒゲをそらないとすると，ルールAにより，そらなくてはいけなくなります。

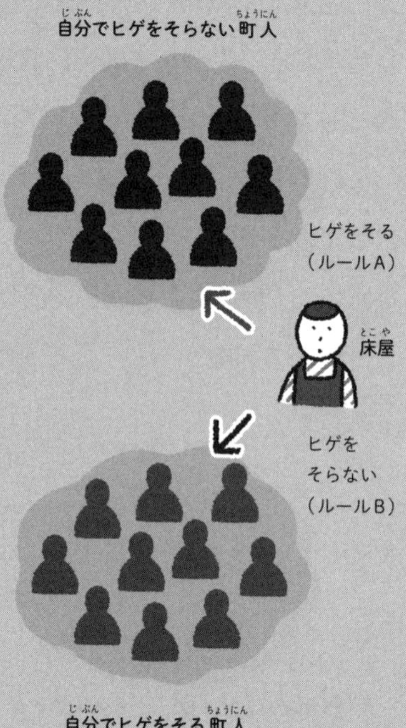

床屋《とこや》が自分《じぶん》でヒゲをそろうとすると…

床屋《とこや》が自分《じぶん》でヒゲをそらないとすると…

―20世紀《せいき》：論理実証主義《ろんりじっしょうしゅぎ》―

9 論理的《ろんりてき》な分析方法《ぶんせきほうほう》で，科学《かがく》を再構築《さいこうちく》！

真偽《しんぎ》を確《たし》かめられることのみ科学《かがく》の対象《たいしょう》に

20世紀初頭《せいきしょとう》，ウィーン大学《だいがく》を活動《かつどう》の中心《ちゅうしん》とする科学者《かがくしゃ》や哲学者《てつがくしゃ》のグループが，科学《かがく》について哲《てつ》学《がく》の観点《かんてん》から考《かんが》える「科学哲学《かがくてつがく》」という分野《ぶんや》を発《はっ》展《てん》させました。グループは，1929年《ねん》の国際会議《こくさいかいぎ》で「ウィーン学団《がくだん》」の設立《せつりつ》を宣言《せんげん》し，「科学的世《かがくてきせ》界把握《かいはあく》」という文書《ぶんしょ》を発表《はっぴょう》しました。科学的世界《かがくてきせかい》把握《はあく》とは，実験《じっけん》や観察《かんさつ》で真偽《しんぎ》を確《たし》かめられることのみを科学《かがく》の対象《たいしょう》とし，それ以外《いがい》を否定《ひてい》する考《かんが》え方《かた》です。これは，形而上学《けいじじょうがく》の否定《ひてい》を意味《いみ》します。

注《ちゅう》：当時《とうじ》の現実《げんじつ》の科学《かがく》では，「原子《げんし》」や「電子《でんし》」などの，直接検証《ちょくせつけんしょう》できない仮《か》説《せつ》が科学《かがく》を前進《ぜんしん》させる原動力《げんどうりょく》となっていきました。

9　二《ふた》つの科学的《かがくてき》な文《ぶん》

ウィトゲンシュタインの考《かんが》えた，二《ふた》つの科学的《かがくてき》な文《ぶん》をえがきました。イラストの原子文《げんしぶん》が，「実証可能《じっしょうかのう》な事実《じじつ》についてのべた文《ぶん》」で，A～Fの記号《きごう》であらわしています。イラストの複合文《ふくごうぶん》が，「論理記号《ろんりきごう》で結合《けつごう》してつくる文《ぶん》」です。「または」「ではない」「かつ」「ならば」が，論理記号《ろんりきごう》にあたります。

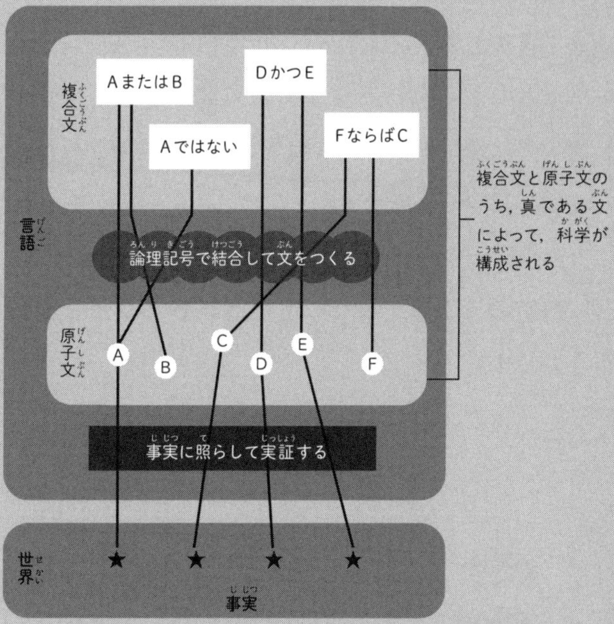

科学的《かがくてき》な文《ぶん》は，二《ふた》つある

さらにウィーン学団《がくだん》は，実証《じっしょう》できる事《こと》がらの分析方法《ぶんせきほうほう》に，論理的《ろんりてき》な分析方法《ぶんせきほうほう》を取《と》り入《い》れました。これは，オーストリアの哲学者《てつがくしゃ》のルードヴィッヒ・ウィトゲンシュタイン（1889～1951）が，著書《ちょしょ》『論理哲学論考《ろんりてつがくろんこう》』で示《しめ》した考《かんが》え方《かた》です。

ウィトゲンシュタインは，科学的《かがくてき》な文《ぶん》は二《ふた》つあるとしました。一《ひと》つは実証可能《じっしょうかのう》な事実《じじつ》についてのべた文《ぶん》，もう一《ひと》つはそうした文《ぶん》を論理記号《ろんりきごう》で結合《けつごう》してつくる文《ぶん》です。

ウィーン学団《がくだん》は，論理的《ろんりてき》な分析方法《ぶんせきほうほう》によって，科学《かがく》の方法論《ほうほうろん》をもう一度再構築《いちどさいこうちく》しようと考《かんが》えたのです。

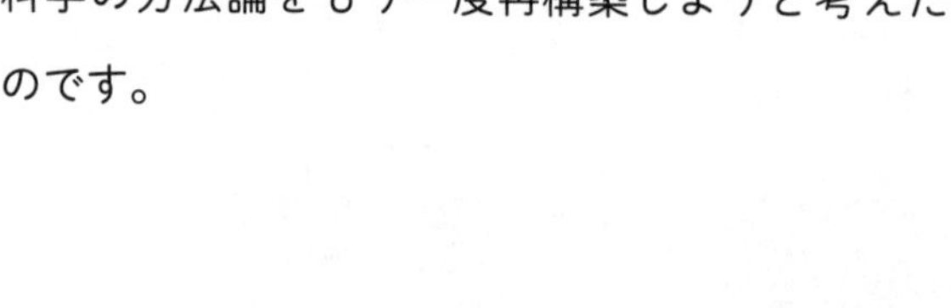

— 20世紀《せいき》：反証可能性《はんしょうかのうせい》 —

10 ポパー「仮説《かせつ》を反証可能《はんしょうかのう》であることこそが，科学《かがく》」

「帰納法《きのうほう》」の正当性《せいとうせい》は「帰納法《きのうほう》」がたより

「科学的《かがくてき》である」とはいったいどういう意味《いみ》でしょうか。

「すべてのガチョウは白《しろ》い」という仮説《かせつ》を検証《けんしょう》する場合《ばあい》，通常《つうじょう》はガチョウの色《いろ》を1羽《わ》ずつ調《しら》べていくことでしょう。このように，個別《こべつ》の観察《かんさつ》を積《つ》み重《かさ》ねて仮説《かせつ》を検証《けんしょう》したり，法則《ほうそく》をみちびいたりする方法《ほうほう》を，「帰納法《きのうほう》」とよびます。**しかしデイヴィッド・ヒュームは，帰納法《きのうほう》の正当性《せいとうせい》は帰納《きのう》法自体《ほうじたい》をたよりにしており，循環《じゅんかん》になっていることを指摘《してき》しました。**

仮説《かせつ》のまちがいを示《しめ》そうとする

オーストリア生《う》まれでイギリスに移住《いじゅう》した科《か》学哲学者《がくてつがくしゃ》のカール・ポパー（1902 ～ 1994）は，帰納法《きのうほう》にたよらない科学《かがく》の方法《ほうほう》を考察《こうさつ》しました。ポパーは，反例《はんれい》によって仮説《かせつ》がまちがいだと示《しめ》す（反証《はんしょう》する）プロセスには帰納法《きのうほう》を使《つか》わないことに気《き》づき，科学者《かがくしゃ》は反証《はんしょう》をこそ試《こころ》みるべきだと考《かんが》えました。「すべてのガチョウは白《しろ》い」が正《ただ》しいことは証明《しょうめい》できなくても，黒《くろ》いガチョウが1羽《わ》でもみつかれば，まちがいであることを証明《しょうめい》できるのです。

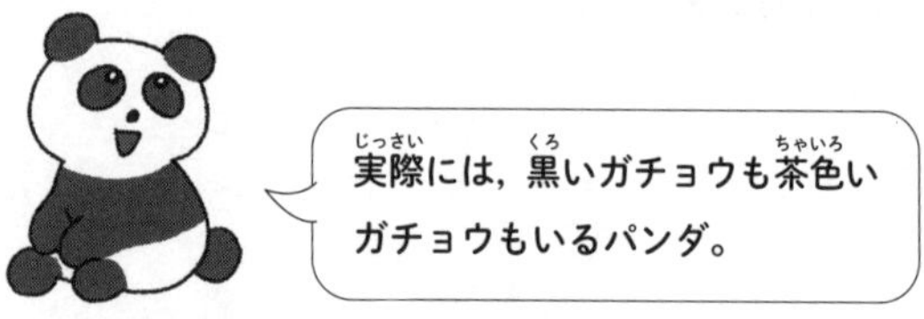

10 黒《くろ》いガチョウをさがす

「すべてのガチョウは白《しろ》い」という仮説《かせつ》があるとします。仮説《かせつ》の正《ただ》しさを証明《しょうめい》することはできないものの，黒《くろ》いガチョウが1羽《わ》でもみつかれば，仮説《かせつ》がまちがいであることを証明《しょうめい》できます。

— 20世紀《せいき》：ヘンペルのカラス —

11 ヘンペル「カラスを調《しら》べないで，カラスがわかるのか」

「仮説演繹法《かせつえんえきほう》」の根本的《こんぽんてき》な問題《もんだい》

仮説《かせつ》は，どのようなときに，証拠《しょうこ》によって支《し》持《じ》されるのでしょうか。ドイツ生《う》まれの科学哲学《かがくてつがく》者《しゃ》であるカール・ヘンペル（1905～1997）は，「ヘンペルのカラス」を例《れい》にあげて，「仮説演繹《かせつえんえき》法《ほう》」が抱《かか》える根本的《こんぽんてき》な問題《もんだい》を提起《ていき》しました。

仮説演繹法《かせつえんえきほう》とは，仮説《かせつ》から予測《よそく》を論理的《ろんりてき》にみちびきだし，その予測《よそく》が正《ただ》しいことを確認《かくにん》することで，仮説《かせつ》の確《たし》からしさを高《たか》めるという方法《ほうほう》です。仮説《かせつ》と予測《よそく》が対偶《たいぐう》の関係《かんけい》にあるものが，ヘンペルのカラスです（136～137ページのイラスト）。

この世界《せかい》は，黒《くろ》くないものが非常《ひじょう》に多《おお》い

ヘンペルのカラスに，奇妙《きみょう》な結論《けつろん》が出《で》てしまう理由《りゆう》については，いろいろな考《かんが》え方《かた》があります。

たとえば，「すべてのカラスは白《しろ》い」などの対《たい》抗仮説《こうかせつ》も同《おな》じ証拠《しょうこ》で確《たし》かめられてしまうので，部屋《へや》の中《なか》のものはほかの対抗仮説《たいこうかせつ》と比較《ひかく》したときに有利《ゆうり》な証拠《しょうこ》にはなっていない，という考《かんが》え方《かた》があります。

一方《いっぽう》，この世界《せかい》に黒《くろ》くないものが非常《ひじょう》に多《おお》いから奇妙《きみょう》に感《かん》じるのであって，黒《くろ》くないものが比較的《ひかくてき》少《すく》ない世界《せかい》を想像《そうぞう》すると，それほど奇妙《きみょう》な結論《けつろん》には感《かん》じないはずだ，という考《かんが》え方《かた》もあります。

11 ヘンペルのカラス

「すべてのカラスは黒《くろ》い」という仮説《かせつ》は，「すべての黒《くろ》くないものはカラスでない」という予測《よそく》と同《おな》じです。仮説《かせつ》の確《たし》からしさは，黒《くろ》くないカラス以外《いがい》のものを，発見《はっけん》すればするほど上昇《じょうしょう》します。つまり，部屋《へや》の中《なか》にあるものを次々《つぎつぎ》に見《み》るだけで，すべてのカラスが黒《くろ》いという仮説《かせつ》が確《たし》かめられてしまうことになります。

「すべての黒《くろ》くないものはカラスでない」の合致例《がっちれい》には，黄色《きいろ》いバナナや赤《あか》いリンゴがあります。黄色《きいろ》いバナナや赤《あか》いリンゴを発見《はっけん》すればするほど，「すべてのカラスは黒《くろ》い」という仮説《かせつ》の確《たし》からしさは高《たか》くなります。同様《どうよう》に，黄《き》色《いろ》いバナナや赤《あか》いリンゴを発見《はっけん》すればするほど，「すべてのカラスは白《しろ》い」という仮説《かせつ》の確《たし》からしさも高《たか》くなります。

— 20世紀《せいき》：ベイズ主義《しゅぎ》 —

12 どれが正《ただ》しい仮説《かせつ》？　実験《じっけん》や観察《かんさつ》データから考《かんが》える

確信《かくしん》の度《ど》合《あ》いをあつかう

ベイズの定理《ていり》は，不確実《ふかくじつ》な情報《じょうほう》から結論《けつろん》を導《みちび》くために使《つか》われます。この際《さい》の立場《たちば》の一《ひと》つに，「ベイズ主義《しゅぎ》」とよばれるものがあります。

ベイズ主義《しゅぎ》では，「主観的確率《しゅかんてきかくりつ》」という，いろいろな仮説《かせつ》に対《たい》する確信《かくしん》の度《ど》合《あ》いをあつかいます。たとえば，「この雲《くも》からして雨《あめ》が降《ふ》るはずだということに対《たい》する自分《じぶん》の確信《かくしん》は40％だ」とか，「このやり方《かた》でうまくいくということに対《たい》する自《じ》分《ぶん》の確信《かくしん》は80％だ」というような，確信《かくしん》の度《ど》合《あ》いが主観的確率《しゅかんてきかくりつ》です。

12 ベイズ主義《しゅぎ》の考《かんが》え方《かた》

「サトシが殺人《さつじん》を犯《おか》した」という仮説《かせつ》を例《れい》に，ベイズ主義《しゅぎ》の考《かんが》え方《かた》を示《しめ》しました。仮説《かせつ》の確《たし》からしさは，新《あたら》しい証拠《しょうこ》が出《で》るたびに変化《へんか》します。

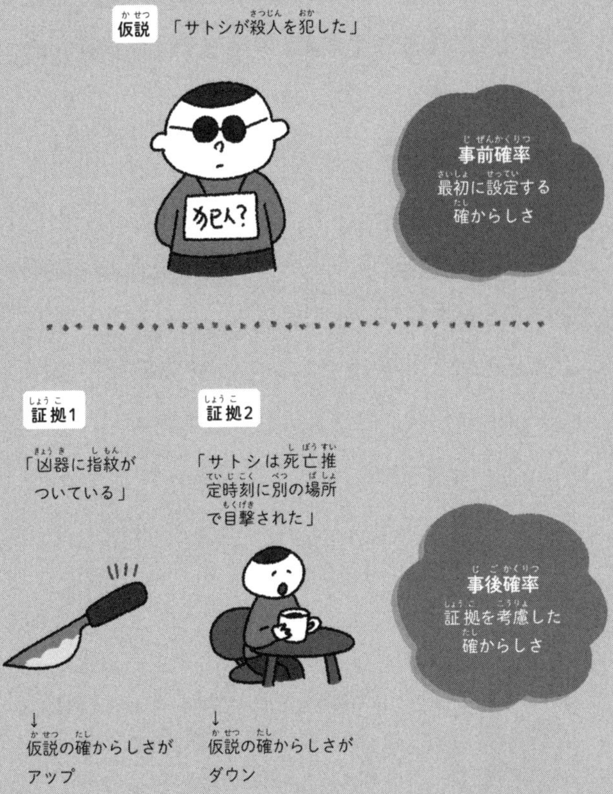

仮説《かせつ》の確《たし》からしさを，証拠《しょうこ》が得《え》られた前後《ぜんご》で判断《はんだん》

ベイズ主義《しゅぎ》では，最初《さいしょ》に「事前確率《じぜんかくりつ》」を設定《せってい》します。そして新《あたら》しい観察結果《かんさつけっか》や実験結果《じっけんけっか》が出《で》るたびに，結果《けっか》を考慮《こうりょ》した「事後確率《じごかくりつ》」を計算《けいさん》し直《なお》します。

事後確率《じごかくりつ》は，新《あたら》しい結果《けっか》が出《で》るほど，信頼《しんらい》できるものになっていきます。そのためベイズ主義《しゅぎ》では，最初《さいしょ》に設定《せってい》する事前確率《じぜんかくりつ》は，不確実《ふかくじつ》な主観《しゅかん》確率《かくりつ》でもかまわないと考《かんが》えます。

仮説《かせつ》の確《たし》からしさを，新《あたら》しい観察結果《かんさつけっか》や実験《じっけん》結果《けっか》が出《で》るたびに計算《けいさん》し直《なお》し，真実《しんじつ》をみつける手《て》がかりとするのが，ベイズ主義《しゅぎ》の考《かんが》え方《かた》なのです。

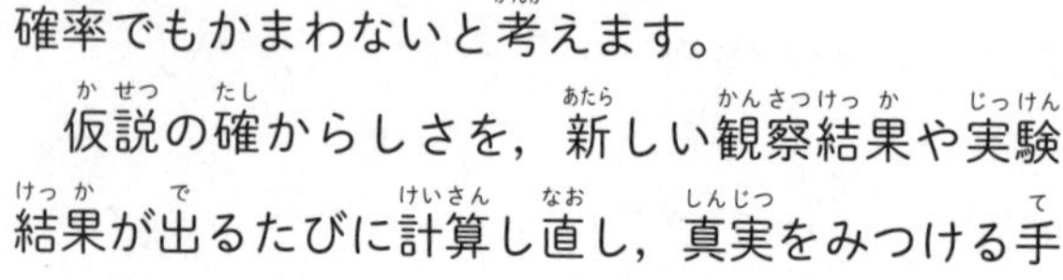

— 20世紀《せいき》：パラダイム・シフト —

13 クーン「革命的《かくめいてき》な理論《りろん》が，科学《かがく》に大転換《だいてんかん》をもたらす」

科学《かがく》の歴史《れきし》は，連続的《れんぞくてき》な進歩《しんぽ》と考《かんが》えられていた

「世界《せかい》は進歩《しんぽ》しつづけている」という考《かんが》えは，20世紀初頭《せいきしょとう》には，科学《かがく》の世界《せかい》にも浸透《しんとう》していました。次々《つぎつぎ》と新《あら》たな理論《りろん》が提唱《ていしょう》された20世紀《せいき》には，科学《かがく》の歴史《れきし》とは「連続的《れんぞくてき》な進歩《しんぽ》」だと広《ひろ》く考《かんが》えられていたのです。

この考《かんが》え方《かた》に対《たい》して，アメリカの科学史家《かがくしか》で哲学者《てつがくしゃ》のトーマス・クーン（1922〜1996）は，異《い》をとなえました。**クーンは，「たびたび生《う》まれる革命的《かくめいてき》な理論《りろん》が，科学《かがく》に大《おお》きな転換《てんかん》をもたらしてきた」と主張《しゅちょう》したのです。**

断続的《だんぞくてき》な転換《てんかん》であると考《かんが》えた

クーンのいう大《おお》きな転換《てんかん》とは，たとえば天動説《てんどうせつ》から地動説《ちどうせつ》への転換《てんかん》や，ニュートン力学《りきがく》から相対《そうたい》性理論《せいりろん》への転換《てんかん》などです。

クーンは，科学《かがく》の歴史《れきし》を「連続的《れんぞくてき》な進歩《しんぽ》」ではなく，「断続的《だんぞくてき》な転換《てんかん》」であると考《かんが》えました。そしてこの転換《てんかん》のことを，「パラダイム・シフト」とよびました。

クーンがいうパラダイムとは，「科学者《かがくしゃ》に問題《もんだい》解決《かいけつ》の手段《しゅだん》をあたえる理論《りろん》や，その理論《りろん》が生《う》まれる背景《はいけい》にあった問題《もんだい》，そして問題《もんだい》の解《と》き方《かた》を示《しめ》す例題《れいだい》など」のことを意味《いみ》しました。

13 パラダイム・シフトの概念《がいねん》

クーンがとなえたパラダイム・シフトの概念《がいねん》を，ニュートン力学《りきがく》のルールにしたがって解《と》くジグソーパズルとしてえがきました。それまでのルールでパズルが解《と》けなくなったとき，新《あら》たなルール（新理論《しんりろん》）が生《う》まれ，パラダイム・シフトがおきます。

繊細《せんさい》なウィトゲンシュタイン家《け》

哲学界《てつがくかい》を去《さ》り，また哲学界《てつがくかい》へ

第《だい》4章《しょう》

科学《かがく》と歩《あゆ》む！
現代《げんだい》の哲学《てつがく》

科学《かがく》の分野《ぶんや》ごとのテーマをあつかう哲学《てつがく》を，「個別科学《こべつかがく》の哲学《てつがく》」といいます。科学者《かがくしゃ》でもあり哲学者《てつがくしゃ》でもある研究者《けんきゅうしゃ》が，自分《じぶん》の専門領域《せんもんりょういき》の個別科学《こべつかがく》の哲学《てつがく》を発展《はってん》させました。第《だい》4章《しょう》では，科学《かがく》と歩《あゆ》む，現代《げんだい》の哲学《てつがく》をみていきましょう。

1 研究者《けんきゅうしゃ》が，自分《じぶん》の専門分野《せんもんぶんや》の哲学《てつがく》を発展《はってん》させた

科学《かがく》の各分野《かくぶんや》の個別性《こべつせい》を重視《じゅうし》する

科学哲学《かがくてつがく》は，大《おお》きく二《ふた》つに分《わ》けることができます。「一般科学哲学《いっぱんかがくてつがく》」と「個別科学《こべつかがく》の哲学《てつがく》」です。一般科学哲学《いっぱんかがくてつがく》は，科学《かがく》をある程度統一性《ていどとういつせい》のあるものとみなして，科学全体《かがくぜんたい》にあてはまるような問題《もんだい》を取《と》りあげます。一方《いっぽう》，個別科学《こべつかがく》の哲学《てつがく》は，科学《かがく》の各分野《かくぶんや》の個別性《こべつせい》を重視《じゅうし》して，分野《ぶんや》ごとのテーマをあつかいます。たとえば，ウィーン学団《がくだん》のシュリックは物理学者《ぶつりがくしゃ》でもあり，時空《じくう》に関《かん》する物理《ぶつり》学《がく》の哲学《てつがく》の著書《ちょしょ》も出版《しゅっぱん》しています。

このように，科学者《かがくしゃ》でもあり哲学者《てつがくしゃ》でもある研《けん》究者《きゅうしゃ》が，自分《じぶん》の専門領域《せんもんりょういき》の個別科学《こべつかがく》の哲学《てつがく》を発《はっ》展《てん》させました。

1 個別科学《こべつかがく》の哲学《てつがく》

個別科学《こべつかがく》の哲学《てつがく》は，科学《かがく》の各分野《かくぶんや》の個別性《こべつせい》を重視《じゅうし》して，分野《ぶんや》ごとのテーマをあつかいます。たとえば，生物学《せいぶつがく》の中《なか》にある哲学的《てつがくてき》なテーマは，個別科学《こべつかがく》の哲《てつ》学《がく》です。

種《しゅ》をどう定義《ていぎ》するべきか

科学《かがく》の各分野《かくぶんや》の研究成果《けんきゅうせいか》には，哲学的《てつがくてき》な興味《きょうみ》深《ぶか》い内容《ないよう》が含《ふく》まれていることが少《すく》なくありません。たとえば，量子力学《りょうしりきがく》の分野《ぶんや》では，奇妙《きみょう》なふるまいを説明《せつめい》するさまざまな解釈《かいしゃく》が提案《ていあん》され，活発《かっぱつ》に議論《ぎろん》されています。

生物学《せいぶつがく》の分野《ぶんや》では，「生物《せいぶつ》の分類《ぶんるい》はどうあるべきか」が議論《ぎろん》されています。なかでも，「種《しゅ》をどう定義《ていぎ》するべきか」について議論《ぎろん》が進《すす》んでいます。また，「人類《じんるい》はいかにして進化《しんか》してきたのか」という議論《ぎろん》も，哲学者《てつがくしゃ》が多《おお》く参入《さんにゅう》しているテーマです。

— 時間《じかん》の哲学《てつがく》 —

2 時間《じかん》の流《なが》れは，移動《いどう》するスポットライト説《せつ》

過去《かこ》・現在《げんざい》・未来《みらい》が存在《そんざい》する巨大《きょだい》なブロック

　アインシュタインの特殊相対性理論《とくしゅそうたいせいりろん》では，何《なに》が過去《かこ》で何《なに》が未来《みらい》かは，観測《かんそく》する立場《たちば》によってことなります。

　ある人《ひと》にとってAがBより先《さき》なのに，別《べつ》の人《ひと》にとってはBがAより先《さき》ということがおきます。そのため，時間《じかん》の流《なが》れは幻想《げんそう》で，宇宙《うちゅう》は過去《かこ》・現《げん》在《ざい》・未来《みらい》が区別《くべつ》なくいっしょに存在《そんざい》する巨大《きょだい》なブロックだという，「ブロック宇宙《うちゅう》」の考《かんが》え方《かた》がみちびきだされました。

現在《げんざい》は，動《うご》くスポットライトのようなもの

しかしそうはいっても，時間《じかん》は流《なが》れているようにみえますし，物理的《ぶつりてき》に時間《じかん》の流《なが》れが計測《けいそく》されてもいます。そこで哲学者《てつがくしゃ》たちは，時間《じかん》の流《なが》れをゆるすような，さまざまなモデルを考《かんが》えてきました。

2 動《うご》くスポットライト説《せつ》

動《うご》くスポットライト説《せつ》のイメージをえがきました。過去《かこ》・現在《げんざい》・未来《みらい》が同等《どうとう》に存在《そんざい》するなか，現在《げんざい》にだけスポットライトが当《あ》たり，スポットライトが動《うご》くように現在《げんざい》が移動《いどう》します。こうして時間《じかん》の流《なが》れが生《う》まれていると考《かんが》えます。

「現在主義《げんざいしゅぎ》」は，現在《げんざい》だけが存在《そんざい》し，過去《かこ》も未《み》来《らい》も存在《そんざい》しないという考《かんが》え方《かた》です。しかし相対《そうたい》性理論《せいりろん》では，人《ひと》によって何《なに》が現在《げんざい》かがことなります。ブロック宇宙《うちゅう》を基礎《きそ》にしながら，その上《うえ》で動《うご》くスポットライトのようなものとして現在《げんざい》をとらえる，「動《うご》くスポットライト説《せつ》」という考《かんが》えもあります。

注《ちゅう》：ただし，スポットライトが動《うご》くためには，ブロックの外《そと》に別《べつ》の時間《じかん》の流《なが》れを想定《そうてい》する必要《ひつよう》があります。

— エントロピー増大《ぞうだい》の法則《ほうそく》 —

3 世界《せかい》は，ばらばらになるように変化《へんか》する

まざった紅茶《こうちゃ》とミルクは，元《もと》にもどらない

私《わたし》たちはなぜ，「時間《じかん》は過去《かこ》から未来《みらい》へと一方《いちほう》向《こう》に流《なが》れるものだ」と感《かん》じているのでしょうか。私《わたし》たちがそう感《かん》じるのは，そのように感《かん》じさせる現象《げんしょう》に囲《かこ》まれているからかもしれません。

たとえば，紅茶《こうちゃ》にミルクを入《い》れて時間《じかん》をおくと，ミルクは自然《しぜん》と拡散《かくさん》していきます。一度《いちど》まざった紅茶《こうちゃ》とミルクが，自然《しぜん》と元《もと》の状態《じょうたい》にもどることはけっしてありません。

3 エントロピー増大《ぞうだい》の法則《ほうそく》

紅茶《こうちゃ》に入《い》れたミルクが拡散《かくさん》していくようすと，同《おな》じ目《め》にそろっていた多数《たすう》のサイコロの目《め》がばらばらになっていくようすをえがきました。多数《たすう》の粒子《りゅうし》やサイコロがばらばらになっていく変《へん》化《か》がおきると，時間《じかん》の向《む》きがわかります。過去《かこ》から未来《みらい》への時《じ》間《かん》の一方向性《いちほうこうせい》を，「時間《じかん》の矢《や》」といいます。

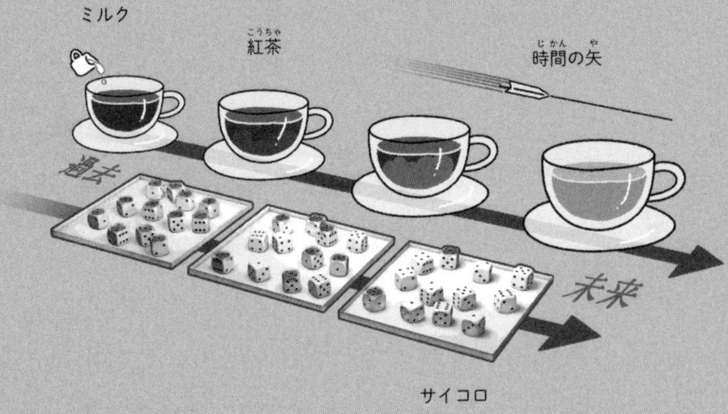

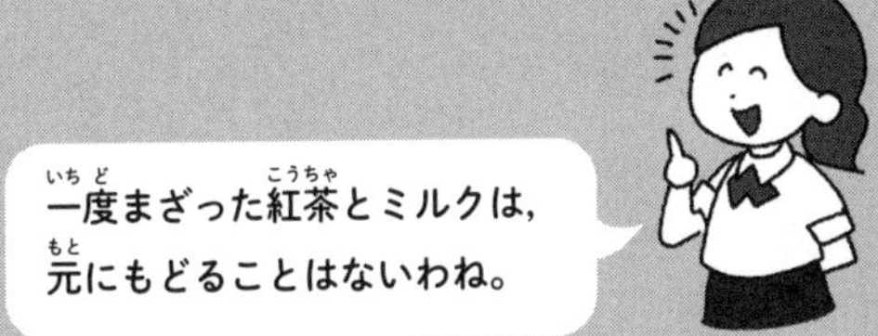

日常的《にちじょうてき》に，不可逆《ふかぎゃく》な現象《げんしょう》ばかり見《み》ている

紅茶《こうちゃ》にミルクを入《い》れると，ミルクの粒子《りゅうし》が1か所《しょ》に集《あつ》まった状態《じょうたい》から，紅茶全体《こうちゃぜんたい》へとばらばらに広《ひろ》がっていきます。このばらばら加減《かげん》のことを，「エントロピー」といいます。あらゆる現象《げんしょう》は，つねにエントロピーがふえるように変化《へんか》します。これを，「エントロピー増大《ぞうだい》の法則《ほうそく》」といいます。

時間《じかん》の哲学《てつがく》には，エントロピー増大《ぞうだい》の法則《ほうそく》が時《じ》間《かん》の向《む》きを生《う》んでいるのだという考《かんが》え方《かた》があります。私《わたし》たちは日常的《にちじょうてき》に，エントロピーが増大《ぞうだい》する不可逆《ふかぎゃく》な現象《げんしょう》ばかりを見《み》ています。このため，時間《じかん》が過去《かこ》から未来《みらい》へと一方向《いちほうこう》に流《なが》れていると感《かん》じるとされているのです。

— 量子論《りょうしろん》の哲学《てつがく》 —

4 ネコの生死《せいし》は，いつ確定《かくてい》するのか

放射性物質《ほうしゃせいぶっしつ》は，二《ふた》つの状態《じょうたい》が重《かさ》ね合《あ》わさった状態《じょうたい》

「シュレーディンガーのネコ」とよばれる有名《ゆうめい》な思考実験《しこうじっけん》があります。

放射性物質《ほうしゃせいぶっしつ》が崩壊《ほうかい》をおこして放射線《ほうしゃせん》を出《だ》すと，それに反応《はんのう》して毒《どく》ガスが放出《ほうしゅつ》される箱《はこ》があり，箱《はこ》の中《なか》にはネコがいます。ミクロな世界《せかい》の現象《げんしょう》を説明《せつめい》する量子力学《りょうしりきがく》によれば，放射性物質《ほうしゃせいぶっしつ》の崩壊《ほうかい》がいつおきるかは純粋《じゅんすい》に確率《かくりつ》の問題《もんだい》です。そして，量子力学《りょうしりきがく》の標準的《ひょうじゅんてき》な解釈《かいしゃく》によると，観測《かんそく》されるまで，放射性物質《ほうしゃせいぶっしつ》は崩壊《ほうかい》していない状態《じょうたい》と崩壊《ほうかい》した状態《じょうたい》が重《かさ》ね合《あ》わさった状態《じょうたい》にあります。

ネコは，生死《せいし》が重《かさ》ね合《あ》わさった状態《じょうたい》

もし観測《かんそく》が人間《にんげん》によるものでなくてはならないのなら，重《かさ》ね合《あ》わせ状態《じょうたい》はネコにも伝《つた》わります。人間《にんげん》が箱《はこ》をのぞくまで，ネコは「生《い》きている状態《じょうたい》と死《し》んでいる状態《じょうたい》が重《かさ》ね合《あ》わさった」状態《じょうたい》にあります。

思考実験《しこうじっけん》を提案《ていあん》したオーストリアの物理学者《ぶつりがくしゃ》のエルヴィン・シュレーディンガー（1887～1961）は，ネコの生死《せいし》が確定《かくてい》していないなどという奇妙《きみょう》な結論《けつろん》をみちびいてしまう量子論《りょうしろん》の解釈《かいしゃく》の問題点《もんだいてん》を指摘《してき》しました。この問題《もんだい》は，哲学《てつがく》の問題《もんだい》としても議論《ぎろん》がされています。

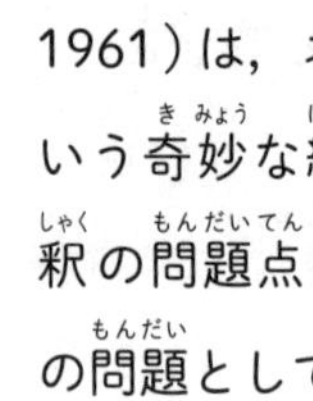

観測《かんそく》が「窓《まど》をのぞくこと」を指《さ》すのであれば，窓《まど》をのぞくまで，ネコの生死《せいし》は確定《かくてい》していないことになるパンダ。

4 ウィグナーの友人《ゆうじん》

シュレーディンガーのネコを拡張《かくちょう》させた，「ウィグナーの友人《ゆうじん》」とよばれる量子論《りょうしろん》の思考実験《しこうじっけん》のイメージをえがきました。友人《ゆうじん》にネコの生死《せいし》の確認《かくにん》を頼《たの》んだ場合《ばあい》，友人《ゆうじん》と自分《じぶん》で，ネコの生死《せいし》が確定《かくてい》する瞬間《しゅんかん》はずれてしまいます。

A. ネコの生死《せいし》を電話《でんわ》で報告《ほうこく》しようとする友人《ゆうじん》

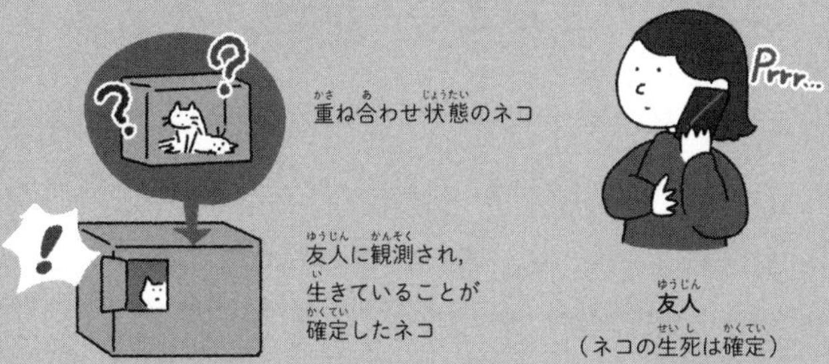

B. 友人《ゆうじん》からの報告《ほうこく》を待《ま》つ自分《じぶん》

注《ちゅう》：友人《ゆうじん》にネコの生死《せいし》の確認《かくにん》をたのんだ場合《ばあい》，自分《じぶん》からすると，友人《ゆうじん》も「生《い》きていることを確認《かくにん》した友人《ゆうじん》」と「死《し》んでいることを確認《かくにん》した友人《ゆうじん》」が重《かさ》ね合《あ》わさった状態《じょうたい》にあることになります。

— 多世界解釈《たせかいかいしゃく》 —

5 枝分《えだわ》かれした世界《せかい》が，同時並行《どうじへいこう》で存在《そんざい》するかも

量子論《りょうしろん》をどう解釈《かいしゃく》すべきかという問題《もんだい》

シュレーディンガーのネコの思考実験《しこうじっけん》は，量《りょう》子論《しろん》において，状態《じょうたい》を確定《かくてい》させる「観測《かんそく》」とは何《なに》を指《さ》すのか，という問題《もんだい》をきわだたせました。このような，量子論《りょうしろん》をどう解釈《かいしゃく》すべきかという問《もん》題《だい》は，「解釈問題《かいしゃくもんだい》」とよばれています。

量子論《りょうしろん》の奇妙《きみょう》さを解決《かいけつ》するために，「観測《かんそく》した瞬間《しゅんかん》に状態《じょうたい》が確定《かくてい》するのではなく，観測者《かんそくしゃ》も含《ふく》めた世界《せかい》が枝分《えだわ》かれする」と考《かんが》える不思議《ふしぎ》な解釈《かいしゃく》も提案《ていあん》されています。それが，「多世界解釈《たせかいかいしゃく》」です。

5 多世界解釈《たせかいかいしゃく》

多世界解釈《たせかいかいしゃく》による，枝分《えだわ》かれした世界《せかい》のイメージをえがきました。それぞれの枝《えだ》が，ことなる並行世界《へいこうせかい》をあらわしています。私《わたし》たちが暮《く》らす世界《せかい》（宇宙《うちゅう》）とは別《べつ》の並行世界《へいこうせかい》（宇宙《うちゅう》）は，たとえば銀河《ぎんが》の数《かず》が少《すく》ないなど，まったくことなる姿《すがた》をしている可能性《かのうせい》があります。

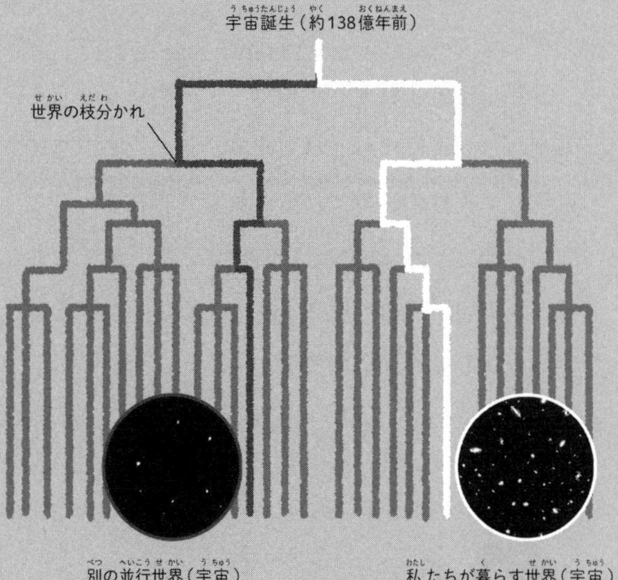

あなたも，複数《ふくすう》の世界《せかい》に分《わ》かれて存在《そんざい》することに

多世界解釈《たせかいかいしゃく》では，枝分《えだわ》かれしたあとの世界《せかい》は，消滅《しょうめつ》することなく存続《そんぞく》すると考《かんが》えます。つまり，宇宙誕生《うちゅうたんじょう》から138億年《おくねん》の間《あいだ》に枝分《えだわ》かれした無数《むすう》の世界《せかい》が，今《いま》も同時並行《どうじへいこう》で存在《そんざい》していることになります。

世界《せかい》が枝分《えだわ》かれする際《さい》には，世界《せかい》のあらゆるものがいっしょに枝分《えだわ》かれします。そのためあなた自身《じしん》も，複数《ふくすう》の世界《せかい》に枝分《えだわ》かれして存在《そんざい》することになります。今《いま》あなたは本《ほん》を読《よ》んでいますけれど，別《べつ》の世界《せかい》（並行世界《へいこうせかい》）のあなたは，散歩《さんぽ》をしているかもしれないのです。

memo

京都《きょうと》にある哲学《てつがく》の道《みち》

京都大学《きょうとだいがく》の哲学者《てつがくしゃ》の西田幾太郎《にしだきたろう》（1870～1945）には，さまざまに考《かんが》えをめぐらせながら歩《ある》く，お気《き》に入《い》りの散歩道《さんぽみち》がありました。銀閣寺《ぎんかくじ》のそばから，熊野若王子神社《くまのにゃくおうじじんじゃ》付近《ふきん》へと，約《やく》2キロメートルにわたってつづく小道《こみち》です。この道《みち》は，西田《にしだ》の弟子《でし》たちにも愛《あい》されたことから，のちに「哲学《てつがく》の道《みち》」と名《な》づけられました。

春《はる》は桜《さくら》，初夏《しょか》は新緑《しんりょく》，秋《あき》は紅葉《こうよう》，冬《ふゆ》は雪化粧《ゆきげしょう》と，季節《きせつ》によってさまざまな表情《ひょうじょう》を見《み》せる哲学《てつがく》の道《みち》は，日本《にほん》の道《みち》100選《せん》にも選《えら》ばれています。道《みち》の脇《わき》には，琵琶湖《びわこ》の水《みず》を引《ひ》いた水路《すいろ》があり，初夏《しょか》にはホタルの姿《すがた》を見《み》ることもできます。

哲学《てつがく》の道《みち》のまわりには，紅葉《こうよう》で有名《ゆうめい》な永観堂《えいかんどう》や，三門《さんもん》や水路閣《すいろかく》がある南禅寺《なんぜんじ》など，有名《ゆうめい》な神社仏閣《じんじゃぶっかく》が

集中《しゅうちゅう》しています。また，めずらしい建物《たてもの》やカフェなど，散歩《さんぽ》の途中《とちゅう》に立《た》ち寄《よ》りたくなるお店《みせ》もたくさんあります。

— 動物倫理《どうぶつりんり》 —

6 動物《どうぶつ》にも，人間《にんげん》と同《おな》じ権利《けんり》を認《みと》める考《かんが》え方《かた》

動物実験《どうぶつじっけん》では，動物《どうぶつ》の福祉《ふくし》に最大限配慮《さいだいげんはいりょ》

「倫理学《りんりがく》」とは，物事《ものごと》の善悪《ぜんあく》について筋道《すじみち》をたてて考《かんが》える学問《がくもん》で，一部《いちぶ》は哲学《てつがく》に含《ふく》まれます。

動物倫理《どうぶつりんり》の論争《ろんそう》では，大《おお》きく三《みっ》つの立場《たちば》があります。第一《だいいち》は「単純《たんじゅん》に現在《げんざい》の動物利用《どうぶつりよう》のあり方《かた》を肯定《こうてい》する立場《たちば》」，第二《だいに》は「動物《どうぶつ》を利用《りよう》すること自《じ》体《たい》は否定《ひてい》しないものの，動物《どうぶつ》の福祉《ふくし》を最大限配慮《さいだいげんはいりょ》する方向《ほうこう》へ改革《かいかく》を求《もと》める立場《たちば》」，第三《だいさん》は「動物《どうぶつ》にも人間《にんげん》と同種《どうしゅ》の権利《けんり》を認《みと》め，その権利《けんり》を侵害《しんがい》するような動物《どうぶつ》の利用《りよう》を否定《ひてい》する立場《たちば》」です。

たとえば動物実験《どうぶつじっけん》の現場《げんば》では，動物《どうぶつ》の福祉《ふくし》に何《なん》らかの形《かたち》で最大限配慮《さいだいげんはいりょ》するということは，もはや常識《じょうしき》になりつつあります。

6 動物《どうぶつ》の権利《けんり》

動物《どうぶつ》の権利《けんり》のイメージとして，イヌの研究者《けんきゅうしゃ》をえがきました。イヌは，ヒトとは別《べつ》の種《しゅ》の動物《どうぶつ》です。しかしそのことが，イヌの権利《けんり》を認《みと》めない理由《りゆう》にはならないという考《かんが》え方《かた》があります。

ヒトでないことは，理由《りゆう》にならない

　動物《どうぶつ》の権利《けんり》については，さまざまな議論《ぎろん》がなされています。**現在《げんざい》では，「女性《じょせい》」「有色人種《ゆうしょくじんしゅ》」「障《しょう》害者《がいしゃ》」であることが人権《じんけん》を認《みと》めない理由《りゆう》にならないように，ヒトという種《しゅ》に属《ぞく》さないことが動物《どうぶつ》の権利《けんり》を認《みと》めない理由《りゆう》にはならないという考《かんが》え方《かた》があります。**

　この考《かんが》え方《かた》は，完全菜食主義者《かんぜんさいしょくしゅぎしゃ》（ヴィーガン）をはじめとして，多《おお》くの人《ひと》たちの支持《しじ》を集《あつ》め，近《きん》年《ねん》，注目《ちゅうもく》されています。

（出典《しゅってん》：『動物《どうぶつ》からの倫理学入門《りんりがくにゅうもん》』，著《ちょ》／伊勢田哲治《いせだてつじ》，
名古屋大学出版会《なごやだいがくしゅっぱんかい》，2008年発行《ねんはっこう》）

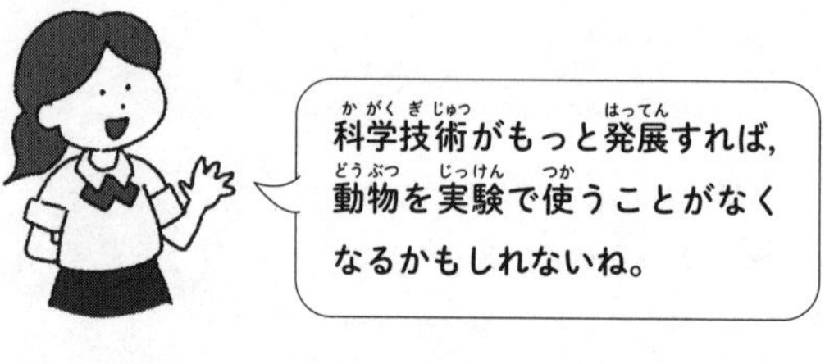

— 生命倫理《せいめいりんり》 —

7 人《ひと》の遺伝子《いでんし》は，改変《かいへん》してもいいのか

倫理的《りんりてき》な問題《もんだい》が指摘《してき》されている

21世紀《せいき》に入《はい》ると，ねらった遺伝子《いでんし》を改変《かいへん》する「ゲノム編集《へんしゅう》」技術《ぎじゅつ》が開発《かいはつ》されました。ゲノム編《へん》集《しゅう》は，ヒトの遺伝子疾患《いでんししっかん》の治療《ちりょう》や予防《よぼう》に応用《おうよう》できる，と期待《きたい》する人《ひと》もいます。

しかし，現状《げんじょう》では，ヒトの受精卵《じゅせいらん》の遺伝子《いでんし》を改変《かいへん》することは，各国《かっこく》の法律《ほうりつ》や指針《ししん》により，禁止《きんし》されたり制限《せいげん》されたりしています。なぜなら，技《ぎ》術的《じゅつてき》な精度《せいど》の問題《もんだい》にくわえて，倫理的《りんりてき》な問題《もんだい》が指摘《してき》されているためです。

「優生学《ゆうせいがく》」の復活《ふっかつ》が危惧《きぐ》されている

20世紀《せいき》，ナチス・ドイツでは，遺伝的《いでんてき》に劣等《れっとう》とされた人々《ひとびと》が強制的《きょうせいてき》に隔離《かくり》され，断種《だんしゅ》されるなどの政策《せいさく》がとられました。この悪夢《あくむ》のような政《せい》策《さく》の裏《うら》には，優秀《ゆうしゅう》とされる遺伝子《いでんし》を保存《ほぞん》することで人類《じんるい》の進歩《しんぽ》をうながそうとする「優生学《ゆうせいがく》」という考《かんが》えがありました。

ヒトの受精卵《じゅせいらん》にゲノム編集《へんしゅう》を行《おこな》えば，「親《おや》の望《のぞ》む性質《せいしつ》をもつ子供《こども》（デザイナーベビー）」を選択的《せんたくてき》に生《う》みだすことが原理的《げんりてき》には可能《かのう》です。**そのような行為《こうい》は，悪夢《あくむ》をおこした優生学《ゆうせいがく》の復活《ふっかつ》に相当《そうとう》するのではないかと，危惧《きぐ》されているのです。**

7 ゲノム編集《へんしゅう》

ゲノム編集《へんしゅう》のイメージをえがきました。ヒトの遺伝《いでん》子《し》は，「DNA（デオキシリボ核酸《かくさん》）」という鎖状《くさりじょう》の分《ぶん》子《し》でできています。ゲノム編集《へんしゅう》では，DNAのねらった領域《りょういき》をこわしたり，そこにことなるDNAを挿《そう》入《にゅう》したりします。

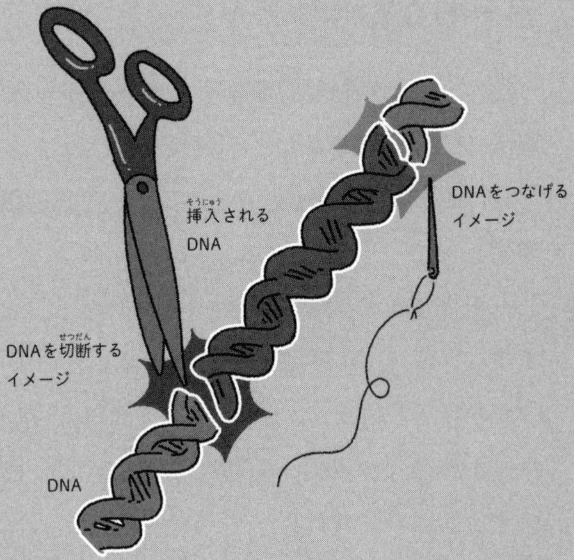

ゲノム編集《へんしゅう》は，農作物《のうさくぶつ》の品種改良《ひんしゅかいりょう》や医《い》学《がく》への応用《おうよう》が研究《けんきゅう》されているパンダ。

— 心《こころ》の哲学《てつがく》① —

8 人間《にんげん》とコンピューターは，同《おな》じなのか

心《こころ》と体《からだ》はどのようなかかわりをもつのか

近年《きんねん》，人工知能《じんこうちのう》や脳科学《のうかがく》などの心《こころ》にかかわる科学《かがく》の発展《はってん》が目覚《めざ》ましく，「心《こころ》とは何《なに》か」という問題《もんだい》に関《かん》する哲学的《てつがくてき》な思考《しこう》の必要性《ひつようせい》が高《たか》まっています。

心《こころ》をあつかう哲学《てつがく》のことを「心《こころ》の哲学《てつがく》」といいます。人間《にんげん》の心《こころ》（意識《いしき》）と体《からだ》（物体《ぶったい》）がどのようなかかわりをもっているのかという問題《もんだい》は，古代《こだい》ギリシャ時代《じだい》から長《なが》い間《あいだ》考《かんが》えられてきた，哲学《てつがく》の中心問題《ちゅうしんもんだい》の一《ひと》つです。

脳《のう》の機能《きのう》だけでは，説明《せつめい》できない

　脳科学《のうかがく》や神経生理学《しんけいせいりがく》などの心《こころ》にかかわる科学《かがく》が発展《はってん》するにつれて，機能主義《きのうしゅぎ》（関数主義《かんすうしゅぎ》）なども生《う》まれました。この考《かんが》え方《かた》では，心《こころ》はある刺激《しげき》に対《たい》してどう反応《はんのう》するのかという，「入力《にゅうりょく》」と「出力《しゅつりょく》」の関係《かんけい》で定義《ていぎ》されます。同《おな》じ入出力関係《にゅうしゅつりょくかんけい》をもつなら，コンピューターも人間《にんげん》も同《おな》じという考《かんが》え方《かた》です。**しかし，自分《じぶん》が感《かん》じる主観的《しゅかんてき》なイメージの世界《せかい》は，脳《のう》の機能《きのう》だけではまだ完全《かんぜん》に説明《せつめい》することができません。**

　現在《げんざい》，心《こころ》の哲学《てつがく》は，脳科学《のうかがく》などの心《こころ》をあつかう科学《かがく》とバランスをとりながら，発展《はってん》しています。

たとえば，17世紀《せいき》のフランスの哲学者《てつがくしゃ》デカルトは，心《こころ》（意識《いしき》）は脳《のう》の奥《おく》にある松果腺《しょうかせん》を通《つう》じて，身体《しんたい》（物質《ぶっしつ》）とつながっていると考《かんが》えたのだ。

8 機能主義《きのうしゅぎ》の心《こころ》の定義《ていぎ》

人間《にんげん》の心《こころ》の入出力《にゅうしゅつりょく》(A)と，コンピューターの入出力《にゅうしゅつりょく》(B)のイメージをえがきました。機能主義《きのうしゅぎ》では，人間《にんげん》の心《こころ》もコンピューターと同《おな》じ入出力関係《にゅうしゅつりょくかんけい》をもつと考《かんが》えます。人間《にんげん》の心《こころ》は，ベルの音《おと》を入力《にゅうりょく》されると，ドキドキと出力《しゅつりょく》します。

A. 人間《にんげん》の心《こころ》の入出力《にゅうしゅつりょく》

入力《にゅうりょく》と出力《しゅつりょく》の関係《かんけい》でみると，人《ひと》の反応《はんのう》とコンピューターの動《うご》きは，同《おな》じようにみえるわね。

B. コンピューターの入出力《にゅうしゅつりょく》

— 心《こころ》の哲学《てつがく》② —

9 人間《にんげん》の社会性《しゃかいせい》は，どう生《う》みだされるのか

社会性《しゃかいせい》を実現《じつげん》している脳《のう》のはたらきを研究《けんきゅう》

生《う》まれつき脳《のう》の発達《はったつ》が通常《つうじょう》とことなることで，生活《せいかつ》に支障《ししょう》をきたしてしまう脳《のう》の障害《しょうがい》を，「発達《はったつ》障害《しょうがい》」といいます。発達障害《はったつしょうがい》の一《ひと》つである「ASD（自閉症《じへいしょう》スペクトラム障害《しょうがい》）」をもつ人《ひと》は，相手《あいて》の表情《ひょうじょう》を読《よ》み取《と》ってコミュニケーションをとることが困難《こんなん》です。

ASDをもつ人《ひと》のように，社会性《しゃかいせい》の機能《きのう》がうまくはたらいていない人《ひと》の脳《のう》の活動《かつどう》を研究《けんきゅう》することで，人間《にんげん》の社会性《しゃかいせい》を実現《じつげん》している脳《のう》（社会脳《しゃかいのう》）のはたらきを解明《かいめい》しようという研究《けんきゅう》が進《すす》められています。

9 社会脳《しゃかいのう》

社会性《しゃかいせい》を実現《じつげん》している脳《のう》のはたらきのイメージをえがきました。

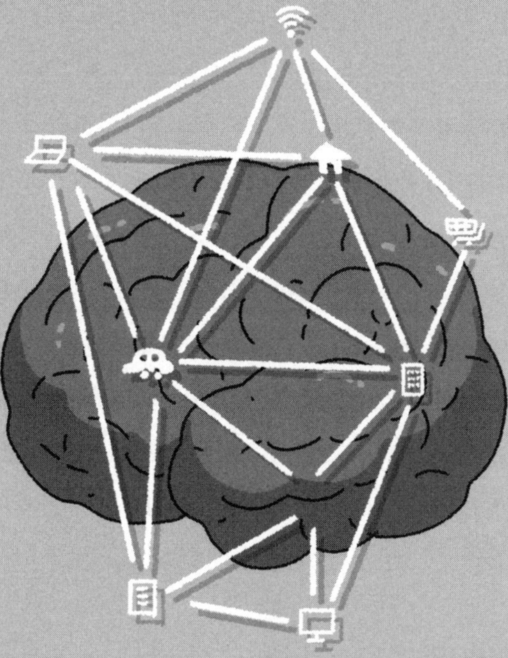

さまざまな研究分野《けんきゅうぶんや》と結《むす》びつき，多様化《たようか》した

1980年代後半《ねんだいこうはん》から議論《ぎろん》されたのは，「社会脳《しゃかいのう》仮説《かせつ》」です。これは，霊長類《れいちょうるい》の脳《のう》の大《おお》きさは，複雑《ふくざつ》な社会《しゃかい》のしくみに対応《たいおう》するように大《おお》きくなったというものです。

1990年代以降《ねんだいいこう》は，脳科学《のうかがく》が発展《はってん》するなかで，社会脳《しゃかいのう》の研究《けんきゅう》はさらに活発《かっぱつ》になりました。**現在《げんざい》では，人間《にんげん》の道徳的《どうとくてき》な営《いとな》みを実現《じつげん》している脳活動《のうかつどう》の研究《けんきゅう》や，美《うつく》しいものを感知《かんち》したりその美的《びてき》感覚《かんかく》を生《う》みだしたりする脳《のう》のはたらきの研究《けんきゅう》，脳《のう》と機械《きかい》をつなぐ技術《ぎじゅつ》の研究《けんきゅう》なども行《おこな》われています。**社会脳《しゃかいのう》の研究《けんきゅう》は，さまざまな研究分野《けんきゅうぶんや》と結《むす》びつくことで，多様化《たようか》しています。

― 心《こころ》の理論《りろん》 ―

10 他人《たにん》の行動《こうどう》を予測《よそく》できるのは，なぜなのか

心《こころ》のはたらきと行動《こうどう》との関連性《かんれんせい》

私《わたし》たちが他人《たにん》の行動《こうどう》を理解《りかい》したり予測《よそく》したりするときには，その人《ひと》の心《こころ》の中《なか》で何《なに》がおきているのかを推測《すいそく》します。**目的《もくてき》・欲求《よっきゅう》・信念《しんねん》などの心《こころ》のはたらきと，そこからみちびきだされる行動《こうどう》との関連性《かんれんせい》などについての考《かんが》えを，「心《こころ》の理論《りろん》」とよびます。**

また，心《こころ》の理論《りろん》にもとづいて人《ひと》の心《こころ》の状態《じょうたい》を推測《すいそく》する能力《のうりょく》があることを，「心《こころ》の理論《りろん》をもつ」といいます。この表現《ひょうげん》を発案《はつあん》したのは，アメリカの霊長類研究者《れいちょうるいけんきゅうしゃ》のプリマックとウッドラフです。2人《ふたり》は，チンパンジーの実験《じっけん》を通《つう》じて，チンパンジーも人間《にんげん》と同《おな》じく心《こころ》の理論《りろん》をもつと考《かんが》えました。

自分《じぶん》の行動《こうどう》として シミュレーションする

一方《いっぽう》，他人《たにん》の心《こころ》の理解《りかい》は、心《こころ》の理論《りろん》を通《とお》してではなく，まねすることを通《とお》して得《え》られていると考《かんが》える哲学者《てつがくしゃ》もいます。私《わたし》たちは，他人《たにん》のようすや行動《こうどう》を自分《じぶん》の行動《こうどう》としてシミュレーションし，そのときの自分《じぶん》の心《こころ》の状態《じょうたい》をみることで，他人《たにん》の心《こころ》の状態《じょうたい》を理解《りかい》しているといいます。この考《かんが》え方《かた》を，「シミュレーション説《せつ》」といいます。

心《こころ》の理論《りろん》とシミュレーション説《せつ》は，どちらが正《ただ》しいのかはわかっていません。また，ほかのしくみである可能性《かのうせい》もあります。

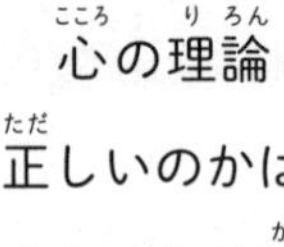

10 チンパンジーの実験《じっけん》

プリマックとウッドラフは，14歳《さい》の雌《めす》のチンパンジーの「サラ」を被験者《ひけんしゃ》として，さまざまな実験《じっけん》を行《おこな》いました。サラは，プラスチックのボードによる視《し》覚言語《かくげんご》を学習《がくしゅう》し，さまざまな心理実験《しんりじっけん》に参加《さんか》しました。

博士《はかせ》！教《おし》えて!!

哲学者《てつがくしゃ》ってどんな人《ひと》？

博士《はかせ》，哲学者《てつがくしゃ》ってどんな人《ひと》なんですか。何《なに》をしているんですか？

多《おお》くの哲学者《てつがくしゃ》は，だいたい大学《だいがく》にいるんじゃ。授業《じゅぎょう》のある日《ひ》は学生《がくせい》に教《おし》え，授業《じゅぎょう》のない日《ひ》は資料《しりょう》を集《あつ》めたり論文《ろんぶん》の執筆《しっぴつ》をしたりしておるぞ。

へぇ～，大学《だいがく》に行《い》けば会《あ》えるのかぁ。じゃあ，哲学者《てつがくしゃ》は，いつもどんなことを考《かんが》えているんですか？

ふむ。身近《みぢか》にあるものごとについて，あらためて考《かんが》えなおすようなことをしておるらしい。たとえば，「私《わたし》は存在《そんざい》するのか」のような，あたりまえと思《おも》えることを疑《うたが》って検証《けんしょう》するのも，哲学《てつがく》の一部《いちぶ》じゃ。

そんなこと考《かんが》えたこともなかった！

ふぉっふぉっふぉ。そうじゃろう。じゃから，哲学者《てつがくしゃ》以外《いがい》の人《ひと》からすると，哲学者《てつがくしゃ》は変《へん》なことをいっていると感《かん》じられることもあるんじゃ。

— 人工知能《じんこうちのう》の倫理《りんり》 —

11 自動運転車《じどううんてんしゃ》の事故《じこ》は，だれの責任《せきにん》なのか

人工知能《じんこうちのう》は，ハンドルを切《き》るべきか

人工知能《じんこうちのう》（AI）の研究開発《けんきゅうかいはつ》がさかんに行《おこな》われている今《いま》，私《わたし》たちは新《あら》たな倫理問題《りんりもんだい》に直面《ちょくめん》しています。

たとえば，自動運転車《じどううんてんしゃ》の運転《うんてん》を人工知能《じんこうちのう》にまかせているとします。車《くるま》の進行方向《しんこうほうこう》に，3人《にん》のグループが不用意《ふようい》に飛《と》びだしてきました。ハンドルを切《き》れば，3人《にん》をひかずにすみます。しかしその場《ば》合《あい》，ハンドルを切《き》った先《さき》にいる別《べつ》の1人《ひとり》をひいてしまいます。人工知能《じんこうちのう》は，ハンドルを切《き》るべきでしょうか。

11 人工知能《じんこうちのう》の判断《はんだん》基準《きじゅん》

人工知能《じんこうちのう》が運転《うんてん》する車《くるま》が，二者択一《にしゃたくいつ》の選択《せんたく》をせまられる状況《じょうきょう》をえがきました。不用意《ふようい》に飛《と》びだしてきた3人《にん》のグループか別《べつ》の1人《ひとり》か，どちらかをかならずひいてしまう場合《ばあい》，人工知能《じんこうちのう》はどう判断《はんだん》したらいいでしょうか。

問題《もんだい》におちいらない しくみづくりが重要《じゅうよう》

倫理学《りんりがく》で，「ある人《ひと》を助《たす》けるために，ほかの人《ひと》を犠牲《ぎせい》にしてもいいのか」という問題《もんだい》を，「トロッコ問題《もんだい》」といいます。自動運転車《じどううんてんしゃ》の人工知能《じんこうちのう》がハンドルを切《き》るべきか切《き》らないべきかという問題《もんだい》は，典型的《てんけいてき》なトロッコ問題《もんだい》です。

トロッコ問題《もんだい》に，だれもが納得《なっとく》できる正解《せいかい》はありません。自動運転車《じどううんてんしゃ》の開発《かいはつ》では，トロッコ問題《もんだい》が発生《はっせい》したときの対処方法《たいしょほうほう》よりも，トロッコ問題《もんだい》におちいらないためのしくみづくりに，力《ちから》が注《そそ》がれるべきだという考《かんが》え方《かた》もあります。

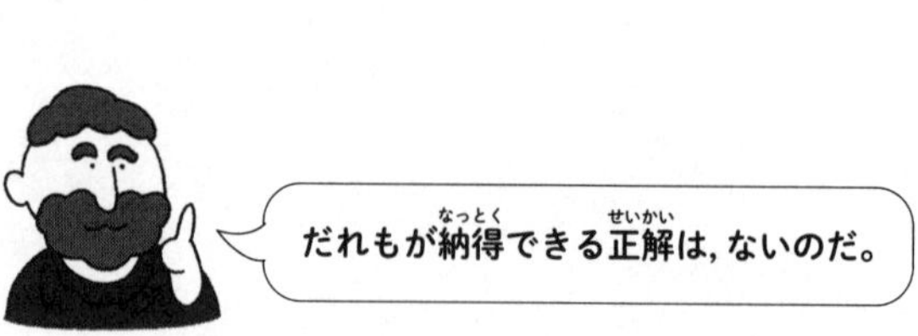

— 公衆衛生倫理《こうしゅうえいせいりんり》 —

12 新型《しんがた》コロナのワクチンは，だれから接種《せっしゅ》すべきか

医療資源《いりょうしげん》の配分《はいぶん》ルールがある

日本《にほん》では2021年《ねん》2月《がつ》17日《にち》から，新型《しんがた》コロナウイルスのワクチンの接種《せっしゅ》がはじまりました。**ワクチンの接種《せっしゅ》をはじめる際《さい》，だれに優先的《ゆうせんてき》に接種《せっしゅ》をするのかという，倫理的《りんりてき》な問題《もんだい》がありました。**

医療資源《いりょうしげん》の配分《はいぶん》ルールには，「最大救命原則《さいだいきゅうめいげんそく》」「社会秩序原則《しゃかいちつじょげんそく》」「抽選《ちゅうせん》」「ライフサイクル原則《げんそく》」などがあります。最大救命原則《さいだいきゅうめいげんそく》はできるだけ多《おお》くの命《いのち》を救《すく》うことを原則《げんそく》にし，社会秩序原則《しゃかいちつじょげんそく》はできるだけ社会《しゃかい》の秩序《ちつじょ》を維持《いじ》することを原則《げんそく》にします。ライフサイクル原則《げんそく》は，若者《わかもの》ほど生《い》きる機会《きかい》を多《おお》くあたえられるという原則《げんそく》です。

自治体独自《じちたいどくじ》の優先接種者《ゆうせんせっしゅしゃ》も指定《してい》された

日本政府《にほんせいふ》が2021年《ねん》2月《がつ》9日《か》に発表《はっぴょう》したワクチンの接種順位《せっしゅじゅんい》は，①医療従事者《いりょうじゅうじしゃ》，②高齢者《こうれいしゃ》，③高齢者以外《こうれいしゃいがい》で基礎疾患《きそしっかん》のある人《ひと》と高齢者施設《こうれいしゃしせつ》ではたらく人《ひと》，④それ以外《いがい》の人《ひと》，でした。**最大救命《さいだいきゅうめい》原則《げんそく》にしたがった方針《ほうしん》と考《かんが》えられます。**

しかしその後《ご》，自治体《じちたい》の中《なか》には，保育園《ほいくえん》や幼稚園《ようちえん》，小中学校《しょうちゅうがっこう》ではたらく人《ひと》などを，独自《どくじ》の優先接種者《ゆうせんせっしゅしゃ》に指定《してい》したところもありました。接種順位《せっしゅじゅんい》を決《き》めることは，けっして簡単《かんたん》なことではないのです。

（出典《しゅってん》：入門《にゅうもん》・医療倫理《いりょうりんり》 III：公衆衛生倫理《こうしゅうえいせいりんり》』，編《へん》／赤林朗《あかばやしあきら》，児玉聡《こだまさとし》，勁草書房《けいそうしょぼう》，2015年発行《ねんはっこう》）

12 ワクチンの優先順位《ゆうせんじゅんい》

新型《しんがた》コロナウイルスのワクチンは，だれに優先的《ゆうせんてき》に接種《せっしゅ》すればいいのでしょうか。日本政府《にほんせいふ》が発表《はっぴょう》したワクチンの接種順位《せっしゅじゅんい》は，①医療従事者《いりょうじゅうじしゃ》，②高齢者《こうれいしゃ》，③高齢者以外《こうれいしゃいがい》で基礎疾患《きそしっかん》のある人《ひと》と高齢者施設《こうれいしゃしせつ》ではたらく人《ひと》，④それ以外《いがい》の人《ひと》でした。

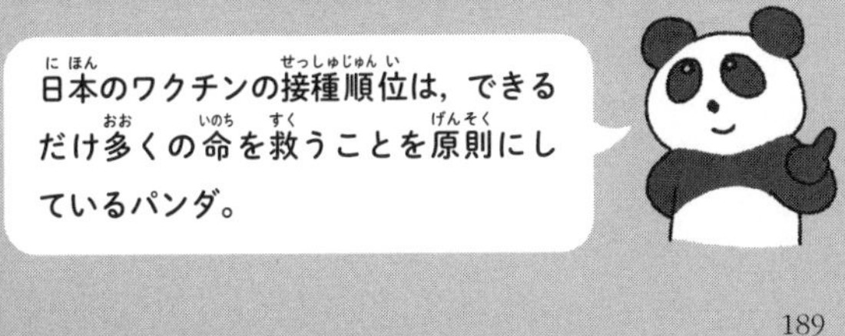

— 哲学《てつがく》マップ —

13 現代《げんだい》哲学《てつがく》の主《おも》な研究《けんきゅう》分野《ぶんや》をみてみよう！

紹介《しょうかい》した内容《ないよう》は，ほんの一部《いちぶ》にすぎない

この本《ほん》ではこれまで，古代《こだい》から2500年《ねん》以上《いじょう》にもわたってつづいてきた哲学《てつがく》の歴史《れきし》を，とくに科《か》学《がく》とのかかわりが深《ふか》い項目《こうもく》に注目《ちゅうもく》して紹介《しょうかい》してきました。最後《さいご》に，現代哲学《げんだいてつがく》の主《おも》な分野《ぶんや》を見渡《みわた》せる「哲学《てつがく》マップ」を紹介《しょうかい》しましょう（192～193ページのイラスト）。

哲学《てつがく》マップをながめてみると，実《じつ》にさまざまな事物《じぶつ》が研究対象《けんきゅうたいしょう》とされていることがわかるでしょう。これまでに紹介《しょうかい》してきた内容《ないよう》は，哲学《てつがく》という広大《こうだい》な学問《がくもん》のほんの一部《いちぶ》にすぎないのです。

「知《し》りたい」という気持《きも》ちが原動力《げんどうりょく》

思考《しこう》や論理《ろんり》によって知《ち》を得《え》る哲学《てつがく》と，観察《かんさつ》や実《じっ》験《けん》によって知《ち》を得《え》る科学《かがく》は，「知《し》りたい」という気持《きも》ちを原動力《げんどうりょく》にしている点《てん》では共通《きょうつう》しています。人類《じんるい》が知的好奇心《ちてきこうきしん》を手放《てばな》さず，考《かんが》えることをやめないかぎり，哲学《てつがく》と科学《かがく》は，これからも発《はっ》展《てん》をつづけていくことでしょう。

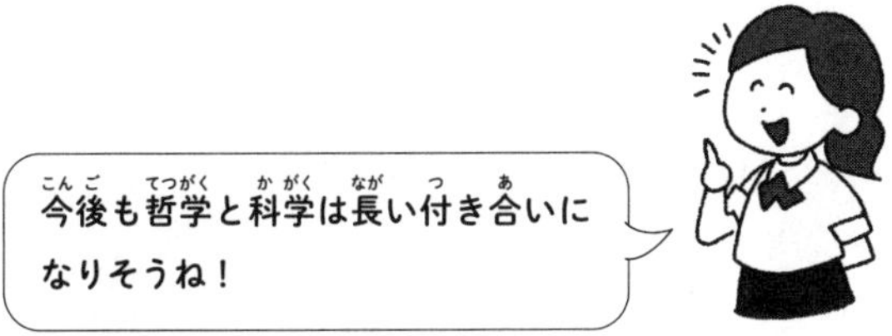

13 現代《げんだい》の哲学《てつがく》マップ

現代哲学《げんだいてつがく》の主《おも》な分野《ぶんや》を見渡《みわた》せる，「哲学《てつがく》マップ」をえがきました。おおまかにつながりの深《ふか》い分野《ぶんや》どうしを，線《せん》で結《むす》んでいます。

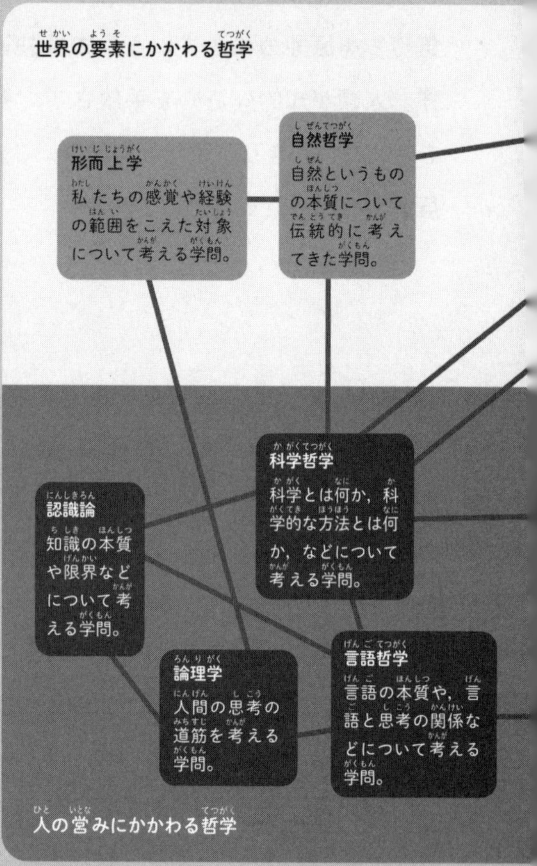

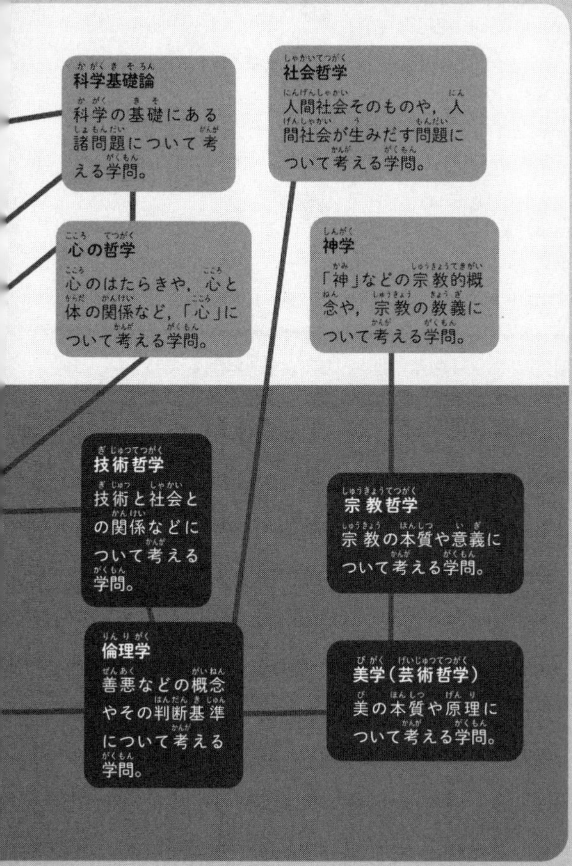
科学基礎論《かがくきそろん》
科学《かがく》の基礎《きそ》にある諸問題《しょもんだい》について考《かんが》える学問《がくもん》。
社会哲学《しゃかいてつがく》
人間社会《にんげんしゃかい》そのものや，人《にん》間社会《げんしゃかい》が生《う》みだす問題《もんだい》について考《かんが》える学問《がくもん》。
心《こころ》の哲学《てつがく》
心《こころ》のはたらきや，心《こころ》と体《からだ》の関係《かんけい》など，「心《こころ》」について考《かんが》える学問《がくもん》。
神学《しんがく》
「神《かみ》」などの宗教的概《しゅうきょうてきがい》念《ねん》や，宗教《しゅうきょう》の教義《きょうぎ》について考《かんが》える学問《がくもん》。
技術哲学《ぎじゅつてつがく》
技術《ぎじゅつ》と社会《しゃかい》との関係《かんけい》などについて考《かんが》える学問《がくもん》。
宗教哲学《しゅうきょうてつがく》
宗教《しゅうきょう》の本質《ほんしつ》や意義《いぎ》について考《かんが》える学問《がくもん》。
倫理学《りんりがく》
善悪《ぜんあく》などの概念《がいねん》やその判断基準《はんだんきじゅん》について考《かんが》える学問《がくもん》。
美学《びがく》（芸術哲学《げいじゅつてつがく》）
美《び》の本質《ほんしつ》や原理《げんり》について考《かんが》える学問《がくもん》。

さくいん

主《おも》な内容《ないよう》

数字《すうじ》の「無《む》」の誕生《たんじょう》

ゼロは長《なが》らく数《かず》とみなされなかった

数《かず》としてのゼロがインドで生《う》まれた

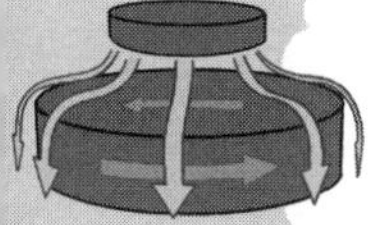

自然界《しぜんかい》に登場《とうじょう》する「無《む》」の数《かず》

温度《おんど》には，絶対《ぜったい》0度《ど》という下限《かげん》がある

リニアモーターカーは，電気抵抗《でんきていこう》ゼロの超電導《ちょうでんどう》で走《はし》る

空間《くうかん》の「無《む》」の発見《はっけん》

蛍光灯《けいこうとう》の中《なか》は，ほどよい真空《しんくう》に保《たも》たれている

私《わたし》たちの目《め》の前《まえ》には，真空《しんくう》が存在《そんざい》している

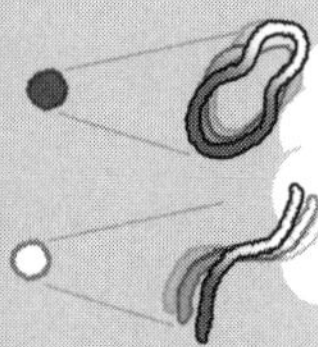

「無《む》」の空間《くうかん》には何《なに》かが満《み》ちている

真空《しんくう》は，完全《かんぜん》な無《む》ではない！

普通《ふつう》の物質《ぶっしつ》をとりのぞいても，ダークマターが残《のこ》る

時空《じくう》の「無《む》」が宇宙《うちゅう》を生《う》んだ

宇宙《うちゅう》は時間《じかん》も空間《くうかん》もない究極《きゅうきょく》の無《む》から生《う》まれた

生《う》まれ変《か》わる宇宙《うちゅう》は，無《む》からはじまったのか？

Staff

Editorial Management	中村真哉
Editorial Staff	道地恵介
Cover Design	岩本陽一
Design Format	村岡志津加（Studio Zucca）

Illustration

表紙カバー	羽田野乃花さんのイラストを元に佐藤蘭名が作成
表紙	羽田野乃花さんのイラストを元に佐藤蘭名が作成
13～193	羽田野乃花

監修（敬称略）：
伊勢田哲治（京都大学大学院文学研究科教授）

本書は主に，Newton 別冊『哲学』の一部記事を抜粋し，
大幅に加筆・再編集したものです。

ニュートン超《ちょう》図《ず》解《かい》新書《しんしょ》
最《さい》強《きょう》に面《おも》白《しろ》い　哲《てつ》学《がく》

2023年10月10日発行

発行人	高森康雄
編集人	中村真哉
発行所	株式会社 ニュートンプレス　〒112-0012 東京都文京区大塚3-11-6 https://www.newtonpress.co.jp/ 電話 03-5940-2451

ISBN978-4-315-52746-9